7 femmes

Lydie Salvayre

7 femmes

PERRIN

www.editions.perrin.fr

ISBN : 978-2-262-03469-6

Sept folles.
Pour qui vivre ne suffit pas. Manger, dormir et coudre des boutons, serait-ce là toute la vie ? se demandent-elles.
Qui suivent aveuglément un appel. Mais de qui, mais de quoi ? s'interroge Woolf.
Sept allumées pour qui écrire est toute la vie. (« Tout, l'écriture exceptée, n'est rien », déclare Tsvetaeva, la plus extrême de toutes.) Si bien que leur existence perd toute assise lorsque, pour des motifs divers, elles ne peuvent s'y vouer.
Sept insensées qui, contre toute sagesse et contre toute raison, disent non à la meute des « loups régents », qu'ils soient politiques, littéraires, ou les deux,
et qui l'écrivent à leur façon,
les unes en hurlant, en claquant les portes, en arrachant les masques, et tant pis si la peau et la chair viennent avec,
les autres avec des grâces et des manières très british,
mais toutes en écoutant la voix qui leur murmure à l'oreille : un peu plus à gauche, un peu plus à

droite, plus haut, plus vite, plus fort, stop, précipiter, ralentir, couper. La voix du rythme. Sans cette voix, elles sont formelles : pas d'écriture et pas d'écrivain. C'est aussi simple et aussi implacable.
Sept imprudentes pour qui écrire ne consiste pas à faire une petite promenade touristique du côté de la littérature et puis, hop, retour à la vraie vie, comme on l'appelle.
Pour qui l'œuvre n'est pas un supplément d'existence.
Pour qui l'œuvre est l'existence. Ni plus ni moins.
Et qui se jettent dans leur passion sans attendre que le contexte dans lequel elles vivent leur soit moins adverse.
Sept folles, je vous dis.

Car il fallait qu'elles fussent folles ces femmes pour affirmer leur volonté présomptueuse d'écrire dans un milieu littéraire essentiellement gouverné par les hommes. Car il fallait qu'elles fussent folles pour s'écarter aussi résolument, dans leurs romans ou leurs poèmes, de la voie commune, pour creuser d'aussi dangereuses corniches, pour impatienter leur temps ou le devancer comme elles le firent, et endurer en conséquence les blâmes, les réprobations, les excommunications, ou pire l'ignorance d'une société que, sans le vouloir ou le voulant, elles dérangeaient.

Je relus, il y a un an, tous leurs livres.
Je traversais une période sombre. Le goût d'écrire m'avait quittée. Mais je gardais celui de lire.

Il me fallait de l'air, du vif. Ces lectures me l'apportèrent.
Je vécus avec elles, m'endormis avec elle. Je les rêvais.
Certain jour, un seul vers de Plath suffisait à m'occuper l'esprit. La perfection est atroce, me répétais-je, elle ne peut pas avoir d'enfant. Le lendemain, j'avalais d'un trait les trois cent dix-sept pages du roman de Woolf, *Orlando,* dans un bonheur presque parfait.

Afin de prolonger ce bonheur, je fis ce qui, jusque-là, m'indifférait et qui de surcroît, pensais-je, ne faisait que compléter mes méconnaissances : je me plongeai dans les biographies, les lettres et les journaux intimes de ces sept femmes. Je le fis sans aucune intention. Je ne cherchai pas à dévoiler je ne sais quel secret de l'œuvre ni à corroborer je ne sais quelle hypothèse savante, je savais l'exercice aussi vain que stupide. J'étais simplement portée par le désir de faire durer encore un peu l'émotion que j'avais éprouvée à les lire, et de me tenir en quelque sorte, affectueusement (je m'arrogeai ce droit), à leur côté.
Je glanai çà et là les détails qui me semblaient le mieux les révéler et me les rendaient attachantes. Je fus touchée au cœur de découvrir qu'Ingeborg Bachmann s'évanouit d'émotion après qu'elle eut fait sa première lecture publique, que Tsvetaeva, cette amoureuse-née, s'enflamma vingt-six fois et déchanta vingt-cinq, et que la jeune Emily Brontë cautérisa une plaie ouverte de sa main en y appli-

quant un fer rougi au feu, et ce sans émettre une plainte, à la Heathcliff.
Je me mis ainsi à inventer leur vie, comme d'ailleurs j'inventais leur œuvre, tout lecteur, je crois, fait cela. Puis j'allai imaginairement de l'une à l'autre.
Je m'enchantais de voir tel séisme intérieur réduit au tremblement d'un vers, tel incident bénin amplifié jusqu'au drame, bref, de découvrir tout ce travail de métamorphose qui d'ordinaire m'échappait.
Et si je me gardais des explications causalistes, s'il me semblait abusif de prêter à ces femmes les mots et les mouvements que je trouvais dans leurs récits et d'en déduire que ceci voulait dire cela, je ne pouvais m'empêcher de constater que leur vie et leur œuvre étaient indissociablement, inextricablement, irrémissiblement liées, en conflit parfois, en guerre souvent, ou prises l'une et l'autre dans le désir entêté, impossible, d'une parfaite adéquation.

J'avais, jusqu'ici, tenu dans le plus grand dédain tout savoir sur la vie d'un auteur. J'avais bien appris ma leçon. Le *Contre Sainte-Beuve* de Proust tenant lieu pour moi de référence canonique, j'accordais mon crédit à l'idée selon laquelle les écrivains pouvaient garder tranquillement l'incognito lorsque les exégètes s'attaquaient à leur œuvre puisque leur moi d'écrivain était aussi éloigné de leur moi dans le monde que la Terre l'était de la Lune. J'étais convaincue, pour résumer, que les making of ne nous apprenaient rien.
En me penchant sur l'existence de ces femmes, je fus contrainte de faire un constat qui contrevenait à

la postulation proustienne : écrire et vivre étaient, selon elles, une seule et même chose (ce qui du reste ne diminuait en rien l'insoumission de leur œuvre à tout essai d'élucidation). Tsvetaeva, la plus radicale, le formula ainsi : il ne s'agissait pas de vivre et d'écrire, mais de vivrécrire. D'ailleurs, le souffle de son cœur rythmait le souffle de ses phrases, et ses poèmes insomniaques résonnaient des cris qu'elle poussait silencieusement pendant le jour.

Ecrire, pour ces femmes, ne connaissait d'autre autorité que celle du vivre.

Et vivre sans écrire revenait à mourir.

Mieux, leurs textes étaient, pour la plupart d'entre elles et Plath en tête, une protestation contre cette idée – arrangeante, il faut bien le reconnaître – qu'il y avait d'un côté : l'art, et de l'autre, à distance prudente : la vie quotidienne. Plath les fit entrer l'une dans l'autre : les casseroles sales et les pantoufles, en plein lyrisme.

Je fis un autre constat, plus sombre celui-là. Ces femmes qui aimèrent infiniment la vie, qui aimèrent infiniment l'amour et qui furent comblées de tous les dons du ciel, ces femmes qui rejetèrent avec dégoût tous les chantages à la souffrance et tous les bénéfices qu'elles eussent pu tirer d'un sort défavorable, ces femmes qui détestèrent la maladie autant que la douleur et se moquèrent de leur abject recyclage littéraire, ces femmes vécurent presque toutes un destin malheureux.

Les unes connurent l'inconvénient de vivre là où il ne fallait pas, les autres celui de vivre quand il ne fallait pas, certaines celui de souffrir d'une douleur d'être si atroce qu'elle ne pouvait trouver d'apaisement que dans la mort.

Mais que leur ennemi se logeât au-dedans ou au-dehors d'elles-mêmes, leur existence fut, pour au moins quatre d'entre elles, un long déchirement. Fallait-il donc, pour que leur langue tranchât dans la grisaille, fallait-il que leur vie brûlât ou qu'elle saignât ? Leur œuvre ne pouvait-elle s'accomplir que depuis le fond le plus noir de la détresse ? Ne créait-on jamais que pour sortir de l'enfer ? Redoutable interrogation sur laquelle je butai : celle du lien entre douleur et création, cent fois levée et cent fois esquivée, pont aux ânes pour les uns, injure pour les autres au bonheur obligé, point crucial aux yeux de quelques rares, ou vieille complaisance romantique à la souffrance. Je ne tentai pas d'y répondre. La question m'angoissait. Je la fuyais. Mais une répugnance instinctive au goût du malheur, une méfiance innée des frissons que suscitent les artistes maudits auprès de ceux-là qui cherchent obstinément à se dédouaner de leur confort m'amenèrent à affirmer ceci : ce que j'aimais sans mesure chez ces sept femmes (lesquelles ayant pris le risque de vivre sans prudence ne purent éviter celui d'en souffrir) c'était leur puissance poétique, c'était la grâce de leur écriture, c'était le retournement qu'elles opéraient sur les forces de mort et leur pouvoir de conjuguer l'œuvre avec l'existence, c'était le bouleversement qu'elles provoquaient en moi et le surcroît de vie qu'elles ne cessaient depuis longtemps de m'insuffler.

La postérité a justifié la passion de leur engagement, célébré leur talent et patenté leurs œuvres. Leurs livres à présent n'ont plus à être protégés ni défendus. Les chefs-d'œuvre consacrés ne demandent plus rien. Ils parlent par eux-mêmes. Et tous les commentaires qu'ils appellent, fussent-ils remarquables, n'ajoutent pas à leur beauté. Mais c'est justement leur beauté qui inspire et justifie la parole. C'est leur beauté qui vaut, me semble-t-il, d'être dite et redite. Quoi d'autre mérite véritablement, dans ce foutoir, d'être transmis ? Quoi d'autre mérite d'être sauvé de l'oubli et de l'indifférence qui constamment menacent ? Je vous le demande.

Les voici donc mes admirées, qui sont d'un autre monde, qui sont d'un autre temps, d'avant Goldman Sachs et d'avant le storytelling, mais dont les mots parlent encore dans nos bouches pour peu que l'on consente à les tenir vivants : Emily Brontë, Djuna Barnes, Sylvia Plath, Colette, Marina Tsvetaeva, Virginia Woolf et Ingeborg Bachmann.
Il me fallait trouver un ordre pour les présenter. Celui des sept couleurs de l'arc-en-ciel me paraissant inapplicable, ceux de l'alphabet ou du calendrier trop arbitraires, je proposai celui-ci sans hésiter un seul instant et bien que je ne pusse avancer, pour l'expliquer, nul critère sérieux.

Emily Brontë

Dans les salons confinés de Londres où l'on ne parle qu'à voix basse et de choses morales, un livre soudain s'abat, un livre dont le héros, rompant avec tous les usages au nom d'un amour impossible, se révolte contre un monde qui lui semble mieux fait pour les marchands de laine que pour les cœurs aimants, et se laisse entraîner par désespoir dans la pire des noirceurs qui se puisse penser.
Le livre horrifie.
Sa brutalité horrifie.
Car elle vient jeter, au beau milieu des élégances, cette idée scandaleuse (qui deviendra, après Freud, une banalité) selon laquelle il existe en chacun une violence fondamentale, un besoin passionné de détruire et de se détruire qui peuvent conduire aux pires désastres, mais détiennent le pouvoir inouï d'allumer les esprits et d'amener les hommes à une présence au monde plus vivante et plus dense.
Pour comble, son auteur qui se cache derrière un pseudonyme masculin est une femme, une femme qui va à l'encontre de tout ce que l'on attend d'une femme, pire encore, une femme très jeune et qui a

cette audace de vouloir questionner l'énigme du Mal.
Elle s'appelle Emily Brontë. Et son roman *Les Hauts de Hurlevent*, que je lis à quinze ans, me transporte.

Je suis pensionnaire dans un lycée de jeunes filles. Je rêve, nous rêvons toutes du grand amour. Nous avons ce que nous appelons à l'époque des béguins. Mais nos audaces avec ceux-ci se limitent, le dimanche, à quelques baisers malhabiles (appelés patins) et de furtifs attouchements (nous serrer les mains en cachette est le geste le plus osé auquel nous nous risquons).
La figure de Heathcliff, héros des *Hauts de Hurlevent*, vient brutalement élever le niveau de nos exigences amoureuses. Heathcliff est sauvage, orgueilleux, métaphysique, asocial et d'une intransigeance implacable. Ses yeux sont un feu sombre. Son visage est d'orgueil. La noirceur de son âme, loin de nous effrayer, nous fascine. Et la passion qu'il porte à son aimée est absolue.
Nous désirons la même.
Or nos petits amoureux du dimanche ne peuvent en aucun cas soutenir la comparaison. Ils sont jeunots. Ils sont fades. Ils sont gauches. Ils roulent en mobylette. Ils aspirent à bénéficier d'un stage en entreprise. Et habitent gentiment dans la villa de leurs parents.
Alors, à l'étude du soir, nous leur écrivons des lettres de rupture toutes truffées d'élégances et d'épithètes rares. Et j'avoue, non sans fierté, que je suis, davantage que les autres, sollicitée pour ces délicats

exercices. J'aime le tragique andalou, les passions qui terrassent, les divorces qui brisent, l'amour, la mort, le destin, les grands cris, les grands mots (je ne crois pas qu'aujourd'hui cet amour-là m'ait totalement abandonnée).
Le livre, dans le dortoir, passe de main en main. Il enflamme. Nous avons la puberté virulente, le goût de l'Absolu, de l'Amour à la vie à la mort. Nous nous avisons, de surcroît, que son auteur, Emily Brontë, partage notre sort : nous passons la semaine enfermées au lycée Raymond-Naves d'où nous ne sortons que le week-end, elle vécut toute sa vie en recluse à Haworth, un village perdu du Yorkshire. Et nous qui nous sommes tant bien que mal et plutôt mal accommodées de notre claustration, voilà que nous lui trouvons désormais un avantage inestimable.
A longueur de semaines, nous nous gorgeons de rêves et de romans d'amour, toutes sortes de romans d'amour, la plupart boursouflés de sentiments sublimes, de torrents lacrymaux, de thrènes désespérés, de Oh et de Ah, de ruptures injustes et de rivalités sanglantes, d'autres, grivois ou libertins, que nous cachons dans nos casiers et où nous apprenons les prestiges du sexe et les choses scabreuses y afférentes, lesquelles nous font rire et secrètement nous passionnent.
Mais aucun, aucun ne nous semble aussi beau que *Les Hauts de Hurlevent,* écrits par une enfermée, à Haworth, en 1846, un siècle avant ma naissance.

Haworth est au bout de la terre.
C'est un village austère et triste, même quand il fait beau.

On dit qu'il faut, pour y arriver, traverser des kilomètres d'une lande déserte et battue par les vents, puis grimper péniblement une route caillouteuse jusqu'au sommet d'une butte qui domine la vallée de Worth.
De là s'étend à perte de vue un paysage de collines herbues fendues par des chemins de pierre, où s'accrochent çà et là des fermes misérables, les figures mouvantes des troupeaux de moutons et, au fond de la vallée, trois usines de filature dont les fumées épaississent un ciel morne.
Emily Brontë a deux ans lorsque sa famille s'installe à Haworth.
Tout est rude, là-bas.
Tout y est, d'une certaine façon, violence.
Le vent d'ouest si fort qu'il courbe la cime des arbres. La neige qui rend impossible, les jours d'hiver, toute sortie et dont il faut dégager les chemins à la pelle. Le brouillard si opaque à l'automne qu'il fait la lande irréelle. Une religiosité aride qui imprègne tous les instants de la vie et dont des prédicateurs à la voix terrible exaltent la rigueur en menaçant les fidèles des pires feux de l'enfer pour paiement de leurs fautes.
A cela s'ajoutent des conditions de travail si pénibles dans les filatures qu'il n'est pas rare qu'éclatent des émeutes ou que se forment dans la rue principale des cortèges bruyants où piques et drapeaux noirs sont brandis à la face du ciel et à celle des boutiquiers qui, derrière les vitres, se signent en tremblant.
Car c'est à l'évidence dans le rapport entre les hommes que la brutalité et la violence y sont les

plus visibles, entre les hommes ai-je dit, et ce quels que soient leur rang et leur appartenance, mais aussi entre hommes et femmes, entre hommes et enfants et entre hommes et bêtes, ce dont Emily Brontë rendra compte plus tard jusqu'à l'insoutenable.

Le presbytère où vit Emily est une grande bâtisse bordée d'un cimetière. Sur l'un des murs de la maison est accroché un tableau de John Martin qui représente *Le Déluge*. C'est un dessin manière noire où l'on voit de pauvres humains, dans un décor de fin du monde, menacés par des vagues gigantesques qui vont bientôt les engloutir. Emily s'arrête souvent devant cette image de mort. Elle n'en conçoit pas de l'effroi.

La mort chez les Brontë fait partie de la famille.

Et mourir est juste aussi normal que vivre.

En ce temps-là, la tuberculose, qu'on nomme consomption, tue en Europe une personne sur quatre, et les saignées, les diètes, les purges et les vésicatoires se révèlent contre elle totalement inutiles. Elle n'est pas encore considérée comme l'infection contagieuse qui frappe les basses classes et dont il faut absolument s'écarter. Elle jouit au contraire de tous les prestiges. Elle est le long mal romantique, la maladie de l'âme, celle qui a frappé John Keats, celle qui touche les êtres sensibles et brûlants de passion, celle qui pâlit le teint et charge le regard d'une ombre singulière, celle qui fera mourir l'un après l'autre les six enfants Brontë.

Il y a dans la maison des Brontë deux autres dessins de John Martin représentant des scènes bibliques que le père d'Emily, pasteur du village, a accrochés aux murs. Le titre de l'un d'eux est : *Josué commandant au soleil de s'arrêter.* Emily s'émerveille à l'idée qu'on puisse commander au soleil. Pour l'instant, elle se contente de commander aux chiens lesquels courbent l'échine au seul son de sa voix dans une soumission dont elle se délecte. Car Emily, c'est sa faiblesse, aime à dominer. D'ailleurs il arrive que pour la moquer, son frère et ses sœurs la surnomment *The Major.* Ce qui la met hors d'elle.

Emily a trois ans lorsque sa mère meurt.
Elle gardera toute sa vie le souvenir d'une femme au sourire très doux devant laquelle elle devait parler bas, marcher à pas feutrés, brider sa joie, s'atténuer, se réduire en quelque sorte comme on le fait toujours devant ceux qui agonisent; une femme qu'elle ne connut, d'aussi loin que remontassent ses souvenirs, que gisante, le visage blême, les yeux ardents, les membres amaigris, et qui n'en finissait pas de mourir; une mère qui n'eut pas le temps d'être mère mais dont la disparition constitua pour Emily, je le suppose, une blessure secrète, une peur d'être abandonnée que vinrent réveiller chaque fois les départs, les séparations et les deuils de ses proches.
Mais Emily, qui a du caractère, s'interdit de sangloter ou de gémir sur son sort d'orpheline.
Je ne pleure pas; je ne veux pas pleurer;
Notre mère ne veut pas de nos larmes;
Sèche tes yeux, il serait vain de prolonger
Au cours de tant d'années une stérile douleur.

Tous ses proches en témoignent, Emily manifeste une détermination, une volonté, une capacité à se contraindre exceptionnelles chez une enfant.
Il y a chez elle quelque chose de ce jeune Spartiate qui, plutôt que d'avouer le vol d'un renardeau, se laisse sans un cri dévorer la poitrine.
Serrant les dents lorsqu'elle a mal, très mature et très enfantine (elle continuera de jouer aux jeux de son enfance jusqu'à vingt-huit ans bien sonnés), éclatant en colères violentes lorsque ses aînés la traitent avec hauteur, tournant le dos sans une explication à qui s'abandonne à une parole indigne, sa sœur Charlotte écrira d'elle : *Plus forte qu'un homme, plus simple qu'un enfant, sa nature était unique.*
Infiniment tendre et malicieuse avec ses sœurs qu'elle s'amuse à effrayer par ses manières de garçon, insolente lorsqu'elle estime avoir raison car se taire est l'apanage des lâches, manifestant une droiture morale et une exigence de hauteur qui ne se démentiront jamais au cours de sa brève vie, elle a des yeux infinis, une propension au rire et le menton têtu, exigeant, de ceux qui ne fléchissent pas.
A la mort de sa mère, la petite Emily est confiée à la garde joyeuse de deux servantes, Nancy et Sarah Garrs, puis à celle bien plus austère de sa tante, Elizabeth Branwell, une sainte femme, venue tout exprès de sa Cornouailles natale afin de prendre en charge l'éducation des quatre enfants.
D'une raideur théologique aussi bien que physique, Elizabeth Branwell est la respectabilité

incarnée : robe noire des plus calviniennes, socques de bois inconfortables, bonnet de dentelle d'un blanc immaculé, culotte en tricot à double fond, et principes éducatifs assortis que voici désignés par ordre d'importance : stricte observance des règles édictées par la religion méthodiste, siège et rempart de toutes les vertus, répugnance affirmée face à tout ce qui est gai dans cette *lacrimacum valle* qu'est notre vie terrestre, mise en ordre impeccable du corps aussi bien que de l'âme pour avancer jusques au ciel sur le chemin de la rédemption, et obéissance sans faille des enfants aux adultes dont ils dépendent, eux-mêmes obéissant au Seigneur tout-puissant.

La bouche sévère autant que le cœur (une bouche ombrée d'un soupçon de moustache propre aux virginités trop longtemps prolongées), Elizabeth Branwell n'a jamais connu le plaisir, l'oisiveté, le jeu, l'enfance, et son visage se renfrogne devant la belle humeur de Sarah et Nancy Garrs, lesquelles répandent, à son goût, une joie peu chrétienne dans la maison d'un révérend.

Au grand chagrin d'Emily, elle exige bientôt le départ des deux écervelées dont la gaieté offense sa piété et fige sévèrement les traits de son visage.

C'est Tabitha Aykroyd, dite Tabby, qui va désormais prendre la relève.

Tabby est robuste, un roc. Elle a des bras de boucher, le poitrail abondant, des manières rudes et un parler rustique qui enchante les enfants.

Emily, grimpée sur ses genoux ou assise auprès d'elle à la grande table de l'office, ne se lasse pas de l'entendre raconter les sempiternelles histoires du pays et la vie des gens simples dont elle se sent si proche.

Je veux être avec les humbles,
Les êtres hautains ne me sont rien.

Quant aux rapports avec sa tante, ils sont banals en apparence, déférents, convenables, mais très impétueux par en dessous.

Car son caractère entier se révolte devant le rigorisme de cette femme qui a usurpé la place de sa mère et à laquelle elle doit se soumettre sans broncher, oui tante Branwell, bien tante Branwell, comme il vous plaira tante Branwell, tandis que tout son sang proteste dans ses veines et qu'elle voudrait hurler son désaccord.

Elle trouve alors une parade : puisque le monde selon sa tante est tout barré d'interdictions, il faut qu'elle s'en échappe sous un prétexte quelconque. C'est ainsi que lui vient le goût des promenades, lesquelles présentent aux yeux d'Elizabeth Branwell deux indéniables qualités : elles sont, un : hygiéniques, et deux : éducatives.

Qu'il fasse beau, qu'il fasse froid, ou que souffle le vent venu du Lancashire, Emily parcourt pendant des heures les sentiers qui traversent la lande sauvage.

Elle aime y cueillir les premières primevères et les premiers crocus, découvrir les nids délicats brodés par les coqs de bruyère, débusquer l'entrée d'un terrier de belette caché sous un buisson de genêts, faire provision d'airelles le long d'une haie de ronciers, cueillir un papillon jaune et bleu puis le resti-

tuer à son vol, escalader un muret de pierres noires pour observer un héron, ailes battantes, tenant dans son bec une couleuvre verte, traverser les pieds nus un ruisseau glacé et pourchasser de sa main les têtards fébriles tout en se livrant à des spéculations sur le destin humain qui iront le soir même nourrir *Gondal* (dont je reparlerai).
Parfois, un chien l'accompagne à qui elle lance, pour jouer, des morceaux de bois mort. Car Emily ne sait pas vivre sans la compagnie de ses bêtes, Grasper son terrier irlandais aux prunelles pailletées, Flossy sa chienne épagneule qui tressaille en dormant, ses chats Diamond et Rainbow qui grimpent d'un seul jet au sommet des pins du cimetière, Snowflake Jasper un faisan qu'elle a trouvé blessé dans le creux d'un rocher, et ses deux oies Victoria et Adélaïde, deux pimbêches qui parfois se piquent de voler sur au moins quatre mètres et d'atterrir intactes, c'est un exploit.
Sur tous ses animaux, elle règne.
Elle leur parle. Les cajole. Leur murmure des mots doux. Les réprimande parfois durement. Puis leur demande pardon, pardon, pardon, pardon mille fois, je suis méchante, et les couvre aussitôt d'impérieuses caresses.
Elle sait faire d'une corbeille un nid pour un petit plumier dont l'aile s'est brisée et, avec l'affectueuse complicité de Tabby, panser la patte d'un renardeau sur laquelle un piège s'est violemment refermé.
On raconte qu'un jour, apercevant de sa fenêtre un chien errant, flancs décharnés, langue pendante, pénétrer dans le Pré du Révérend, elle se précipite

jusqu'à lui pour lui donner à boire. Le chien grogne. Elle s'approche. Le chien montre ses crocs. Elle porte spontanément la main à son échine dans l'intention d'une caresse aux fins de l'amadouer. Le chien la mord violemment. Elle recule en secouant sa main. Le chien s'enfuit. Elle examine sa blessure. La plaie est profonde, et si le chien est atteint de la rage, peut s'avérer mortelle. Alors à peine entrée au presbytère, elle fait ceci : elle saisit un pique-feu, le plonge dans les flammes, puis, les dents serrées, se l'applique sur la plaie sans qu'une seule plainte ne s'échappe de sa bouche.
Tout Emily Brontë, tout son roman sont dans ce geste.

Faute de petits baisers sur ses brûlures, faute de mots tendres et de soins affectueux, Emily, que personne jamais ne serre dans ses bras, investit le savoir comme d'autres l'amour, et manifeste tôt le désir insatiable de connaître le nom et le pourquoi des choses. Entourée de ses sœurs, elle apprend à lire en quelques semaines sous la baguette de sa tante, tandis que leur frère Branwell, considéré déjà comme un génie, reçoit par privilège l'instruction de leur père.
Les quatre enfants dévorent les journaux avec leur lot d'atrocités (tous les enfants, je l'ai noté, sont délicieusement terrifiés par les gestes du crime, leur théâtralité et une outrance dans l'horreur qui déréalisent le meurtre et le font ressembler à un jeu), écoutent avec ravissement le père leur faire la lecture des *Blackwood's Magazine* (rappelons que la

lecture des journaux par des yeux féminins est regardée, à l'époque, comme une faute impardonnable, ce que le révérend semble ignorer, c'est un mystère) et se passionnent pour les romans noirs qui sont alors furieusement à la mode (un peu comme la SF hardcore ou la fantasy gore aujourd'hui), romans où maris tortionnaires, prêtres lubriques et gentlemen escrocs affirment avec éclat leur noirceur effroyable, venant ainsi révéler au grand jour l'hypocrisie cachée derrière le saint mariage, la sainte religion et la sainte propriété, Amen.

Le 25 novembre 1824, la petite Emily, qui n'a que six ans, refoule la vague de sanglots qui lui serre la gorge. Elle doit aller retrouver ses sœurs Charlotte, Maria et Elizabeth, à l'école de Cowan Bridge qui reçoit par pure miséricorde les enfants du petit clergé.
A peine arrivée, elle y est immédiatement malheureuse. Elle ressent comme une honte d'être accueillie par charité et, dans une rage muette, se révolte contre la sévérité affreuse, le froid glacial, les punitions violentes, le mépris du corps prôné quotidiennement dans les sermons, et le peu d'aménité d'un personnel qui reporte sur les enfants la haine que lui inspire la misère de son propre sort : autant de conditions idéales pour que le désir de vivre s'y amenuise et qu'y fleurisse en beauté la tuberculose.
Les deux aînées Maria et Elizabeth contractent la maladie sans tarder et, au printemps 1825, l'une et

l'autre en décèdent. De ce malheur naît très injustement un bienfait : le révérend Brontë, quitte à déplaire à sa hiérarchie, retire aussitôt Emily et Charlotte de cette institution pour le moins inhospitalière, sinon franchement inhumaine. L'instruction complète des enfants sera assurée désormais par tante Branwell. C'est tout de même un moindre mal.

Pour les fêtes de Noël 1824, le révérend Brontë a l'idée d'offrir à son fils Branwell douze petits soldats de bois.
Généreux, Branwell en donne un à chacune de ses sœurs. Et chacune le baptise, et chacune lui confère un caractère, une démarche, un rôle et un destin. Emily appelle le sien Gravey, Charlotte duc de Wellington, Branwell Bonaparte et Anne Serviteur.
Les quatre enfants se prennent de passion pour ce jeu d'invention et ne pensent plus qu'à ça. Dès qu'ils sont réunis, ils s'exaltent, ils rient, ils s'échauffent, leur imagination s'enflamme, leurs joues aussi. C'est à celui qui inventera l'histoire la plus étonnante, la plus échevelée ou la plus dramatique. Ils en oublieraient l'heure du coucher si leur tante ne venait les sommer de retomber sur terre, Dieu du ciel ! et de rejoindre immédiatement leur chambre.
Ils voient ainsi émerger un monde qui, à mesure qu'ils l'élaborent, devient plus complexe et retors, avec ses héros, ses jaloux, ses traîtres, ses corrompus, ses artistes (dont le plus fameux est sir Edward de Lisle, fortement inspiré de John

Martin), ses écrivains qui sont le sel de la terre, son administration bornée, son gouvernement fort, ses luttes partisanes, son code civil, ses lois, ses fêtes, sa police, sa capitale, sa presse et même ses revues spécialisées.
Son nom : la confédération de Glass Town.
Peu à peu, les péripéties fantastiques qu'ensemble ils se racontent deviennent des récits qu'ils consignent dans des livres, des livres minuscules, écrits pour faire vrai en lettres d'imprimerie, comportant pour faire vrai titre, chapitres, schémas explicatifs et cartes géographiques, et cousus pour faire vrai à la ficelle par Charlotte.
La Légende est en marche.
Dans un presbytère perdu au fin fond du Yorkshire, quatre enfants coupés du monde et soustraits aux façonnages scolaires (et à l'horreur des cours de gymnastique, me dis-je) construisent sans le savoir et dans une complicité merveilleuse les premières fondations d'un univers romanesque qui deviendra un jour l'un des monuments de la littérature anglaise.

A neuf ans, Emily, dont l'esprit d'indépendance est vif et la volonté teigneuse, décide d'écrire ses propres contes avec l'aide de la petite Anne, sa sœur inséparable et sa presque jumelle. Ce seront les *Gondal Chronicles* dont l'action se déroulera dans une île du Pacifique gouvernée par une femme de poigne, Augusta Geraldine Almeda, et dont le style, la profondeur et la richesse devront rivaliser avec ceux d'*Angria* créés au même moment par Charlotte et Branwell qui se croient les plus forts.

Mais en 1835, maudite année, les enfants doivent se séparer et leurs jeux merveilleux s'interrompre.
Branwell, le fils prodige, le frère admiré, le peintre d'avenir, part pour Londres dans l'intention de suivre les cours de la Royal Academy (pour des raisons restées obscures, son projet n'aboutira pas), tandis que Charlotte s'en va faire l'institutrice à l'école de Roe Haed où elle fut pensionnaire quelques années auparavant.
Le révérend Brontë et tante Elizabeth décident alors qu'Emily, qui a maintenant quinze ans, ira rejoindre Charlotte dans son institution. Son caractère emporté et ses penchants dominateurs commencent à passer les bornes, le tout aggravé par la manie fort inquiétante, aux yeux de tante Branwell, de jouer encore, à son âge, comme une enfant.
Finis les enfantillages ! (L'unique sérieux, disait Bataille.)
Il s'agit à présent de devenir adulte !
Et de rabattre une fierté qui ne présage rien de bon ! sentence prononcée par tante Branwell dans un superbe tremblement de poitrine.
Emily, qui n'a quitté Haworth que durant quelques mois en 1824, fait ses adieux à Tabby et à Anne en avalant ses larmes et en mouchant très fort son nez menu.
Sitôt entrée au pensionnat, tout son esprit s'élance vers ceux qu'elle a quittés. Elle suffoque. Tout lui manque. Et tout lui semble laid. Elle voudrait disparaître, s'enfuir de ce dortoir aux murs gris de tristesse, s'échapper d'un préau où elle ne peut courir sans se heurter aux murs.

Arrachée aux bruyères qu'elle aime tant fouler, séparée de Tabby, bonne comme le pain, et de sa petite sœur Anne aussi joueuse qu'elle, rétive à la froide discipline du collège autant qu'aux rythmes stricts, souffrant d'*être enserrée dans de sinistres murs* comme souffrent les bêtes privées de leur forêt, Emily refuse de se nourrir, compose des poèmes pleins de mélancolie et dépérit tant et si bien que son père doit la rapatrier.
Son séjour au pensionnat aura duré trois mois à peine.
Emily, l'obstinée, parvient toujours à ses fins.

A son retour au presbytère, Emily retrouve Branwell qui, remis de son échec à Londres, se convainc à présent qu'il est voué aux lettres et qu'il doit s'y parfaire.
Le frère et la sœur se flairent tels deux chats, prudemment se rapprochent, puis prolongent en secret les plaisirs de l'enfance qu'ils retrouvent intacts après plusieurs années. Ensemble, ils s'enthousiasment pour les romans de James Hogg tout sanguinolents de meurtres et où les Grands Méchants paient cher leur méchanceté, commentent avec feu les faits divers atroces qui secouent la région et confabulent à qui mieux mieux en créant des héros qui empruntent leurs traits à ceux dont les forfaits s'étalent à la une.
Parmi les figures locales vers lesquelles va leur dilection, il y a le pasteur Grimshaw, sorte de superflic au service de Dieu qui fulmine d'horrifiques anathèmes contre tous les pécheurs et pécheresses de

la Création, et Dieu sait s'ils pullulent, auxquels il garantit un enfer pestilentiel, peuplé de bêtes à cornes et parfaitement dépressogène.
Il y a Elizabeth Heaton, la sœur du riche industriel, qui a dû se marier à la hâte avec le fils de l'épicier, quelle honte, un bon à rien, naturellement, de surcroît alcoolique, de surcroît violent, et qui lui a fait subir un tel calvaire qu'elle est allée se réfugier chez son frère pour y mourir sitôt après, voilà où conduit l'irrespect des frontières sociales !
Il y surtout le jeune orphelin qu'elle laisse, traité plus mal encore qu'un garçon d'écurie et pour lequel Emily éprouve une irrésistible sympathie.
Autant de personnages, autant de situations dont on retrouvera la trace dans *Les Hauts de Hurlevent.*

Pour l'instant, Emily ne songe pas encore à se lancer dans un roman. On est en 1838. Emily a vingt ans. L'âge de quitter la maison, l'âge de rompre, de s'émanciper, d'aller vers d'autres paysages. L'âge adulte.
Poussée par sa famille qui s'inquiète de la voir prolonger indûment son enfance, elle finit bon gré mal gré par accepter d'être enseignante à l'école de Law Hill, près d'Halifax. Là, ses façons garçonnières, sa vive intelligence, son imagination fantasque et ses dons musicaux (car elle joue du piano) ne manquent pas de séduire. Mais malgré l'affection de miss Patchett, la directrice, et la splendeur de la demeure de Law Hill, Emily, loin de Haworth, languit, languit, s'étiole, et n'a plus qu'un désir : regagner au plus vite sa lande adorée où

souffle le vent d'ouest, le vent salubre, le vent hurlant, le vent lyrique qu'elle fera bientôt souffler sur la prose brûlante des *Hauts de Hurlevent.*

Forcée de constater que toute vie hors de Haworth lui est insupportable, elle propose alors de se consacrer à assister Tabby et Martha, la servante en second, dans toutes leurs tâches ménagères.
Son père, rendu à ses raisons, le lui concède, non sans regret.
Le jour, donc, elle brosse les tapis, balaie les escaliers, épluche les légumes, s'adonne à ces besognes qui abîment les mains et laissent au cœur un sentiment de peine.
Mais à la nuit tombée, lorsque tout est silence, lorsque Tabby est couchée et que son père prie, Emily se retire dans sa chambre où une horloge scande la tristesse des heures, et une autre vie, alors, commence.
Je l'imagine plongée dans *Richard III* à la lueur d'une bougie, avec cette expression si sage et apaisée que l'on voit aux lecteurs dont l'esprit, en dessous, cavale et rue dans des tourbillons de poussière.
Ou dans le *Don Juan* de Byron, son rebelle admiré, son pourfendeur d'hypocrisies, sa plus belle compagnie sur la terre, dit-elle, son cher Byron coiffé d'un turban élégiaque façon prince ottoman dont elle a découpé le portrait dans un magazine – quelle allure ! –, son sulfureux, son excentrique, son libertin, son impudent poète (tout son contraire) qui ne conçoit pour son playboy qu'un seul enfer : celui du mariage, ça la fait rire.

Ou absorbée dans l'une de ces Vies de poètes qu'elle a dénichées chez John Greenwood, le libraire : celle de Shelley notamment, tellement plus romanesque, tellement plus aventureuse que la sienne, sa pauvre vie fichée dans une terre dont elle ne peut en aucune façon s'arracher.
Parfois, le livre grand ouvert sur sa poitrine, elle s'interrompt de lire comme le font tous les lecteurs du monde et parcourt *el Mundo por de dentro,* comme aurait dit Quevedo, à la poursuite d'un songe, ou d'une image, ou de rien, ou d'une histoire pleine de bruits et de rebonds qui ira grossir les *Gondal Chronicles.*
Si vide d'espoir est le monde du dehors
Que deux fois précieux m'est le monde du dedans.
Et son esprit l'emporte loin, très loin des quatre murs qui l'entourent, par-delà les collines du Yorkshire, dans une Italie irréelle, dans une Espagne faramineuse, ou ailleurs, ailleurs, sur la mer adriatique aux côtés de Shelley, en vertu de cette loi mystérieuse qui veut que nous n'imaginons que cela qui nous manque, élan qui l'amènera bientôt à écrire un roman, *Les Hauts de Hurlevent,* lequel renverra d'une gifle le réalisme à sa misère : je veux dire à sa soumission à l'utile, à ses significations bien fixées et à sa fermeture totale à l'idée d'infini.

En 1839, un jeune révérend à la douceur de fille, William Weightman, arrive à Haworth pour assister son père. Son charme délicat enchante Emily, la fait s'empourprer puis pâlir (variations épidermi-

ques propres aux enfants et aux jeunes vierges et que l'on peut interpréter ici de diverses manières), trouble légèrement son regard si limpide et allège la peine qui alourdit son cœur.
Car Emily a de la peine.
Elle voit son frère Branwell, que l'on croyait promis à toutes les gloires imaginables, sombrer dans un accablement morbide fait de honte, d'impuissance et de vindicative rancœur. Elle voit ses manuscrits moisir dans les tiroirs, ses tableaux se dessécher sur leurs trépieds et ses poèmes s'interrompre au beau milieu d'un acrostiche.
Lui dont les talents (car il les possédait tous) avaient fait naître tant d'espoirs et tant de chimères, il remâche à présent son dépit de ne pas obtenir du *Blackwood's Magazine* une réponse à ses écrits, gémit sur sa malchance tout en se reprochant son incapacité à forcer les portes des cercles littéraires (car l'on n'est rien si l'on n'y est pas admis), passe désormais le plus clair de son temps attablé au Black Bull, le pub de Haworth, où il n'entend jamais un mot plus harmonieux qu'un braiement d'âne, et revient à l'aube, aviné, titubant et la bouche méchante.
Aussi Emily se sent-elle soulagée d'un grand poids lorsqu'il accepte un poste de précepteur dans la famille de Mr Postlethwaire, soulagement précaire car Branwell en est rapidement renvoyé, comme il sera renvoyé du poste de guichetier à la gare de Lunddenden Foot, poste où, faute de propositions plus avenantes, il sommeillera quelque temps dans une torpeur alcoolisée.

En 1842, Charlotte, au titre d'aînée responsable, décide d'arracher une ultime fois Emily de la maison de servitude, comme elle l'appelle, et de l'entraîner à Bruxelles, dans le luxueux pensionnat dirigé par Mme Heger où son époux donne des cours de littérature que l'on dit remarquables.
Ce sera la dernière incursion d'Emily loin de Haworth.
Et un nouvel échec.
Car Emily se bute, regimbe et résiste à ce maître qui veut à tout prix amener ses élèves à imiter la manière impeccable des grands.
Non, décidément non, Emily n'est pas faite pour les leçons de littérature, ni pour les pastiches stylistiques, ni pour les dissertations charmantes, ni pour les plis, les routines, les règles, le métier, les méthodes, les catéchismes, ni pour aucune de ces pédagogies qu'on inculque dans les écoles. En un mot, leur pouvoir.
Elle a la ferme conviction que celui-ci paralyse ce qu'il y a en elle de sauvagerie native, et exige, sans le déclarer jamais, qu'elle cède sur sa singularité.
Or Emily ne veut pas céder.
Oui, c'est là tout ce que j'implore,
Vive ou morte, une âme sans chaînes.
A toutes les institutions savantes et à tous les lettrés de la terre, elle préfère Haworth, son Haworth, son isolement et son austérité et sa grisaille et sa mélancolie, mais qui lui ouvre un espace de liberté où s'accomplit sa faculté d'écrire, et qu'elle ne sait trouver nulle part ailleurs sur la terre.
Retour donc au havre sauveur, dans l'impatience et l'allégresse.

Laquelle, malheureusement, sera brève. Car l'été à Haworth s'achèvera avec la mort de tante Branwell et celle de l'adorable révérend Weightman, le départ de Charlotte à Bruxelles dans l'école de Mme Heger et celui d'Anne et de Branwell dans la famille Robinson.
Emily, restée seule, considère que ceux-ci, en acceptant avec résignation les postes ingrats de précepteurs, acceptent du même coup d'être traités en subalternes par des personnes dont l'esprit et la culture sont incomparablement inférieurs aux leurs.
Pas elle.
Elle refuse farouchement de se satisfaire de ces petites charités et d'entrer dans une logique sociale dont elle a le sentiment, elle si jeune et si dépourvue d'expérience, qu'elle affaiblit les êtres, les détruit parfois, et souvent les détourne d'eux-mêmes.
Emily veut rester maîtresse d'elle-même.
Ella a cette immodestie.
Elle restera donc à Haworth, là où, pense-t-elle, est sa vie, là où les gens *vivent plus sérieusement, plus en eux-mêmes, moins en surfaces, en changements, en frivolités intérieures.*
Et n'en bougera plus.
Haworth sera le lieu des besognes les plus basses et le sanctuaire de l'écriture ; l'endroit de son confinement et celui de sa liberté ; l'observatoire du monde en même temps que sa coquille (Virginia Woolf visitant Haworth, en 1904, écrira : *Haworth exprime les Brontë; les Brontë expriment Haworth; elles y sont comme un escargot dans sa coquille.*)

Emily prend souverainement le parti de vivre dans la solitude, loin des divertissements de la ville et des rues balisées pour la foule, loin de ce qui se fait, de ce qui se pense et de ce qui s'écrit dans ces consensus confortables qui rassemblent les hommes, loin des manœuvres et des intrigues dans lesquelles ils trempent pour parvenir.

Sans délectation morose, ni résignation, ni dégoût, ni emphase, elle fait le choix du retirement, puisqu'il constitue, elle l'a vérifié en elle-même, la seule condition pour que son esprit affronte ce devant quoi sans cesse les hommes se détournent : la présence en eux de ces forces obscures qui peuvent conduire au pire et dont elle a observé les ravages jusque dans sa propre famille.

Et puis, pourquoi quitter Haworth puisque Haworth contient le monde ? puisque l'humanité s'y tient en son entier ? puisque s'y tiennent Martha, la fille du fossoyeur et ses contes funèbres, la solide Tabby et sa rude bonté, Anne et ses pieuseries, Branwell et son malheur qu'il voudrait romantique mais qui n'est que navrant, Charlotte et son dépit depuis que le professeur dont elle s'est entichée a repoussé glacialement ses avances effrontées, les ouvriers cardeurs qui hurlent leur colère dans les rues de Haworth, les troupes à cheval de sir Charles Napier pour mater leur révolte en deux temps trois mouvements, le libraire John Greenwood qui relève d'un doigt son chapeau en guise de salut, le riche Robert Heaton et son manoir tout éclairé de lustres à pampilles (qui sont des signes irréfutables d'opulence), le pauvre enfant martyr, exutoire à des affres dans lesquelles il n'entre pour rien et dont on feint d'ignorer le calvaire, plus tous les simples gens dont les noms sont perdus et un effectif substantiel d'égarés, d'affligés, de dédaignés, de colériques, de cœurs brisés, de cœurs contents (bien plus rares) qui vont bientôt réapparaître, mais sous d'autres défroques et en d'autres couleurs dans cet autre univers où la fureur du vent égale celle des hommes : *Hurlevent.*

Sans parler du monde qu'Emily porte dans sa tête, un monde plein de choses obscures et de passions éperdues.

Car à présent, on brûle, on s'approche des grands jours. On est en 1843.

Charlotte, qui rêve de gloire littéraire comme presque tous les écrivains, hormis Emily Brontë et quelques fous de son espèce qui se foutent de la Gloire autant que de la Postérité, Charlotte envoie quelques-uns de ses poèmes à Robert Southey, poète romantique bien nanti sur le plan capillaire mais chiche en idées progressistes, jouissant à son époque d'une excellente renommée et tombé par la grâce de Dieu dans les oubliettes surpeuplées de la littérature.

Le poétaillon (encore appelé dans la terminologie gaddienne : poétomane) lui répond textuellement ceci qu'il faudrait encadrer :

La littérature ne peut être l'affaire d'une femme et ne saurait l'être. Plus elle se consacre aux devoirs qui lui incombent, moins elle aura le loisir de la pratiquer, même au titre d'un talent ou d'un divertissement.

Réponse qui a le mérite de résumer éloquemment le sort que l'on réserve aux femmes en ce temps-là, et ce, bien que le concile de Mayence leur ait accordé une âme, à la majorité d'une voix, je le précise.
L'humiliation et le dépit de Charlotte à la réception de cette lettre viennent grossir son chagrin d'avoir été chassée telle une voleuse de l'école de Bruxelles par l'épouse jalouse du professeur Heger. La voici donc à nouveau au presbytère, rejointe par Anne, qui a quitté de son plein gré son poste de préceptrice, et par Branwell, congédié par le révérend Robinson pour s'être vanté d'une liaison coupable avec son épouse Lydia.
Branwell, à ce moment-là de sa vie, touche le fond du désespoir.
Il est inconsolable.
Comme s'il cultivait sa propre perdition et s'y invétérait, il boit démesurément au point que son corps exhale cette odeur de pommes sures si particulière aux ivrognes dont le sang s'est mué en alcool, ajoute certains jours à son whisky une dose de laudanum qui le laisse hébété pendant des heures entières, les yeux vides et le cœur ralenti, accumule des dettes qu'il ne peut acquitter, sanglote indignement (car le whisky a ce pouvoir de provoquer des larmes), injurie Dieu et sa famille (car le whisky a ce pouvoir d'engendrer des blasphèmes), fulmine pour des riens, se tient mal, rabroue Emily ou Tabby qui se gardent de réagir, accuse le monde entier de ses propres déboires, écrit de larmoyants sonnets, délire quelquefois, voit ramper sur les murs des

bêtes répugnantes, remâche masochiste ses regrets et les torts qu'on lui a faits, ébauche de ses bras des gestes de menace qui voudraient faire peur mais retombent aussitôt, et repousse méchamment toute main miséricordieusement féminine.
Branwell va à l'abîme.
Et ses trois sœurs s'inquiètent de le voir ainsi précipiter sa perte.
Mais un événement providentiel va bientôt leur amener un peu de la gaieté d'avant, et les distraire d'un chagrin bien trop lourd pour leur âge.

Un jour d'automne 1846, Charlotte découvre, émerveillée, des poèmes écrits en cachette par Emily.
Devant ce qu'elle regarde comme une intrusion inadmissible, Emily, à son habitude, explose de colère et fait claquer les portes, puis, à son habitude, se laisse attendrir par l'ardeur généreuse de sa sœur aînée.
Après de chuchotants conciliabules, Charlotte, qui n'a nullement renoncé à ses ambitions littéraires, persuade Emily et Anne de réunir un choix de leurs meilleurs poèmes et de les envoyer à une maison d'édition. Les trois sœurs, fervemment, se mettent à l'ouvrage et envoient leur recueil à MM. Aylott et Jones, éditeurs à Londres.
Et le miracle a lieu.
Les éditeurs répondent favorablement, c'est à ne pas y croire. Leurs prières pressantes ont été exaucées. Et le livre *Poems* paraît en mai 1846 sous les pseudonymes masculins de Currer, Ellis et Acton Bell.

Les trois filles éprouvent une joie insensée, une joie comme on n'en connaît que deux ou trois dans une vie, une joie qu'elles doivent contenir parce que la chose à Haworth doit demeurer secrète mais que la contention, délicieusement, exaspère.
Des colloques par signes, de petits rires entendus, des regards échangés qui flambent de malice, une inflexion enjouée imperceptible à qui n'est pas dans la confidence, des parlotes chuchotées dans la cuisine où Branwell et le père ne pénètrent jamais, telles sont les seules manifestations qu'elles s'autorisent.
Mais dans leur cœur, c'est l'Amérique.

Deux exemplaires de *Poems* sont vendus la première année. C'est peu, mais suffisant pour ranimer les rêves et les folles espérances des trois sœurs qui vont dès lors se jeter avec toute la fougue (ou si l'on veut toute la libido) de leur jeunesse dans l'écriture romanesque.
Charlotte va écrire *Le Professeur*, Anne *Agnes Grey*, et Emily, *Les Hauts de Hurlevent*, dont le héros inoubliable répond au nom de Heathcliff.

Heathcliff, *heath* bruyère et *cliff* falaise,
Heathcliff, le ciel et l'enfer, le Bien et le Mal, la grâce et la laideur.
Heathcliff passionné, excessif, sexy à mort (dans mes imaginations lubriques, je lui prête les traits de Laurent Terzieff, mon idole du moment), dont le seul regard fait tomber les femmes en catalepsie (James Dean peut aller se rhabiller) et qui renvoie à

leur fadeur tous ces personnages romanesques faits de pâte molle, comme il en pleut.
Heathcliff intransigeant, comme moi me dis-je. Solitaire, comme moi me dis-je. Dur à la douleur, comme moi. Orgueilleux, comme moi. D'une sensibilité si vive qu'elle peut sembler une arrogance. Comme moi, comme moi.
Heathcliff c'est moi. Sa nature est la mienne. Révélation.
Du coup je me coiffe à la diable.
Je fais la gueule.
Je traumatise mes camarades de classe en déclarant que Gilbert Cesbron : c'est de la merde.
Je déteste mon père et décide de ne plus lui adresser la parole.
Je me souviens qu'un samedi soir, alors que je me suis préparée pour aller à la fête d'Auterive avec mon amie Monique Mascarin, mon père m'interdit de sortir. Je m'enferme dans ma chambre, ouvre la fenêtre et menace de me jeter dans le vide. Mon père cède. Heathcliff c'est moi.
En partant, je déclare, théâtrale, que je ne refoutrai plus jamais les pieds dans sa baraque (j'envisage de m'enfuir à Cadaqués dont ma cousine m'a chanté les louanges).
Durant la semaine, à l'étude du soir, je me mure dans un silence plein de mélancolie. Ou j'écris des horreurs sur un cahier que je ne montre à personne.
Je m'exagère considérablement le malheur d'être née dans une famille pauvre et qui, pire encore, s'exprime dans une langue lamentable, charabia de

français mâtiné d'espagnol dont il m'arrive à ma grande honte de reproduire les incorrections (d'où une angoisse à parler en public qui ne m'a jamais quittée).
Heathcliff c'est moi.

Dans le roman, Heathcliff est un enfant trouvé, un enfant sauvage, un enfant sans nom et sans lignage que Mr Earnshaw, un jour, ramène chez lui, à la stupéfaction (mêlée de frayeur) de sa fille Cathy et de son fils Hindley.
Mais les enfants n'accordent aucun prix aux noms comme aux lignages car des éléments plus précieux (comme inventer des jeux avec des haricots ou des petits cailloux) prévalent à leurs yeux.
Et il advient ceci : Heathcliff le bâtard et Cathy la bien née aussitôt s'allient, aussitôt s'adorent, et aussitôt se livrent à leurs amusements d'enfants dans une innocence merveilleuse.
L'enchantement ne dure, hélas, qu'un temps. C'est une règle romanesque qui ne tolère aucune exception. Et c'est aussi une règle de la vie (me voici tombant dans le didactisme) : les fleurs, que je sache, se fanent, le soleil se couche, la beauté se flétrit et la mort nous attend qui n'épargne personne. Mais on me fait savoir à l'instant que, dans la pratique du storytelling d'entreprise, l'enchantement peut demeurer éternellement, et l'avenir briller, briller, briller...
Je reprends.
Cathy, devenue jeune fille, s'amourache d'un fade et farineux jeune homme issu d'excellente famille.

Et par jeunesse, par égarement, par vanité, par caprice, ou pour toutes ces raisons à la fois, se laisse tenter par une vie aisée auprès du mollasson.
Heathcliff, lorsqu'il l'apprend, souffre à perdre la raison.
Cathy a renié son enfance. Cathy a trahi son cœur. Et trahissant son cœur, elle a brisé le sien.
Avec obstination, avec désespoir, avec fureur, Heathcliff s'acharne envers et contre tout à retrouver la pureté de leur amour d'enfants, un amour souverainement dédaigneux des calculs qui empoisonnent le cœur des adultes, souverainement dédaigneux des logiques sociales qui vous placent en haut ou au bas de l'échelle et vous font riche ou pauvre, respectable ou honni, aimable ou méprisé. Comme un dément (on dirait du Lara Fabian, mais qu'y puis-je si le lyrisme, chassé de la littérature contemporaine à coups de trique, s'est réfugié dans les chansons de variété ?), comme un dément, disais-je, il refuse de renoncer à cet amour sans mesure, lequel, dit-il, ne s'affaiblit pas avec le temps et ne s'use pas comme s'usent les choses, ainsi que le croit le vulgaire.
Ravagé par la douleur, orphelin d'un lien qui lui tenait lieu d'existence, Heathcliff ne peut trouver que dans le Mal la réponse à l'exigence folle, exubérante et sans limites qui le consume, un Mal à la mesure de sa passion amoureuse dont il ne veut, dont il ne peut faire le deuil. Que c'est beau, que c'est triste ! J'ai quinze ans et je suis proprement subjuguée par tant de démesure. Le Mal qu'Heathcliff répand autour de lui, au lieu de m'effarer, me

semble témoigner d'une fermeté d'âme et d'une énergie passionnelle que les êtres bons (comme ma mère) ne manifestent que très peu.
Odieux au-delà de toutes limites, animé par la haine jusqu'à s'en détester, porté par un désir enragé de vengeance, Heathcliff va s'enfoncer dans une noirceur infernale jusqu'à perdre toute compassion, toute pitié et tout repentir. Jusqu'à en devenir inhumain.
Profanant tout ce qui est précieux, et Dieu lui-même, transgressant toutes les lois morales que se fixent les hommes et qu'ils nomment Le Bien, ne suscitant autour de lui que l'aversion, l'effroi et parfois même l'horreur, Heathcliff va se condamner à la solitude la plus inhumaine qui se puisse imaginer.
Heathcliff ou l'Ange Noir, tour à tour dispensateur de l'amour le plus pur, et des ténèbres absolues.

Et c'est à Emily Brontë, l'enfermée, l'innocente, c'est à cette jeune fille qui ne quitta presque jamais un village désolé du Yorkshire, qui n'eut d'autres amours que la lande et le vent, et ne se départit jamais durant sa courte vie d'une tenue morale exemplaire, c'est à elle que nous devons cette terrible leçon de ténèbres, cette plongée vertigineuse au cœur des gouffres intérieurs.
C'est elle qui sut trouver les mots pour dire qu'il y avait en son héros un mouvement qui excédait toutes les limites de la raison, que cet excès était le nôtre, et que nous ne pouvions nous en détourner sans nous détourner de nous-même.

Elle eut, dit Georges Bataille, *elle eut de l'abîme du mal une expérience profonde. Encore que peu d'êtres aient été plus rigoureux, plus courageux, plus droits, elle alla jusqu'au bout de la connaissance du mal.*
Bien avant les crimes d'Auschwitz, cette jeune femme candide à l'âme toute droite et qui n'était pas encore sortie de l'enfance pressentit qu'il y avait en chacun *un possible de puanteur et d'irrémédiable furie,* et qu'ignorer benoîtement cette composante humaine n'annulait en rien la possibilité de sa survenue. Elle pressentit qu'il y avait en chacun un fond obscur de violence qui n'était pas moins irréductible que la mort et qu'il pouvait à tout moment faire irruption en brisant l'harmonie mensongère.
Mais sa prescience, qui contrevenait violemment à une morale essentiellement soucieuse d'absoudre l'abjection à force de prières ou de la rejeter pour s'en laver les mains dans les jupes du diable, sa prescience apparut de son temps comme une grossièreté et un outrage, j'en reparlerai.

Nous sommes, pour l'instant, en 1846. Emily met la dernière main à son livre lorsque Charlotte expédie son deuxième roman *Jane Eyre* aux éditeurs Smith et Elder. Ceux-ci l'éditent immédiatement sous le pseudonyme de Currer Bell.
Le succès est immédiat et la première édition épuisée en quelques jours.
Quant au roman d'Emily, il fait le tour des éditeurs et finit chez Newby à Londres sous le pseudonyme d'Ellis Bell.

Le livre n'est tiré qu'à deux cent cinquante exemplaires. Et les éditeurs se félicitent de leur prudence, car les critiques, comme de juste, sont horrifiés.
Les plus aimables d'entre eux jugent l'histoire invraisemblable, les personnages ignobles, les passions débridées, le tout écrit en l'absence totale de morale et dans un style des plus grossiers, voire répugnant.
Un roman en tout point *contraire à l'art,* je cite, et moralement indéfendable.
Un roman qui, en associant l'amour à la violence, à la démesure, au déchirement et à la mort, désigne la menace constante que celui-ci constitue pour la cohésion des sociétés humaines, ça défrise,
et qui de surcroît, mettant l'accent sur la part ténébreuse et souterraine des hommes, vient porter un coup mortel à l'illusion réconfortante des progrès de la raison, c'en est trop.
Le critique George Searle Phillips écrit dans le *Times* que le livre est *scandaleux et outré.* L'homme est un idéaliste, ainsi nommé parce que sa philosophie consiste à vouloir améliorer idéalement les autres tout en restant lui-même un méchant.
La *Quarterly Review,* quelques jours après la mort d'Emily, s'indigne devant *un livre odieusement et abominablement païen.*
George Henry Lewes, homme de lettres influent, et aux yeux de qui l'élégance du dire est une pièce indispensable du système cognitif, qualifie les trois romans écrits par les trois sœurs *de livres grossiers, même pour les hommes, grossiers de langage et grossiers de*

conception, de cette grossièreté que génèrent la violence et les hommes sans culture.
En Amérique du Nord, où le livre est publié après la mort d'Emily, la réprobation est unanime, et le chroniqueur de l'*American Review* déclare dans un spasme vertueux : *Si nous ne savions que ce roman a déjà été lu par des milliers de jeunes filles, nous estimerions de notre devoir de les en détourner.*

La reconnaissance du génie d'Emily Brontë ne sera que tardive.
L'opinion commencera à changer lorsque, en 1877, Swinburne exaltera *les pages magiques des « Hauts de Hurlevent ».*
Mais l'œuvre sera définitivement consacrée par les éloges de Virginia Woolf qui louera l'ambition gigantesque de celle qui *regardant vers un monde divisé en un gigantesque désordre sentit en elle le pouvoir de l'unir en un livre.*

Dans l'année qui suit la parution de son livre, Emily a le cœur lourd. Mais les raisons de sa tristesse sont moins à chercher dans la mévente de son livre, dont elle fait semble-t-il peu de cas, que dans l'aggravation de l'état de santé de Branwell que la tuberculose détériore.
Branwell meurt le 24 septembre 1848.
Emily, qui s'est occupée de lui avec tant de soins et de prévenance, a contracté à son tour la maladie. La fièvre et la toux secouent son jeune corps. Son teint devient de cire. Elle maigrit, crache le sang et s'affaiblit chaque jour davantage, mais sans jamais

se plaindre et sans jamais abandonner les tâches domestiques qui lui sont dévolues.
Elle a, jusqu'à la fin, tous les courages.
Elle s'éteint, c'est le mot juste, le 9 décembre 1848.
Elle ne saura jamais qu'un écrivain nommé Georges Bataille désignera, un siècle après, *Les Hauts de Hurlevent* comme le plus grand roman d'amour de tous les temps.
Le jour de sa mort, Keeper, l'énorme bouledogue qui l'a accompagnée dans ses dernières années, se couche devant la porte de sa chambre.
Il y reste quatre jours en pleurant.

Djuna Barnes

Certaines nuits de 1928, les noctambules parisiens purent croiser dans les rues de Montparnasse une jeune femme enveloppée d'une cape noire, marchant d'un pas fiévreux, l'air hagard, rasant les murs comme pour mieux disparaître dans leur ombre, et dont nul n'aurait su dire si elle était poursuivante ou pourchassée.
C'était Djuna Barnes, dans ses chasses nocturnes.
A la traque, à l'affût.
L'angoisse au cœur.
Gorge nouée.
Folle.
Et que je me figure telle qu'elle se dépeignit sous les traits de Nora dans *Le Bois de la nuit,* pressant le pas comme pour accélérer le temps et faire revenir son amante plus vite, son amante Thelma qu'elle cherchait derrière chaque silhouette et chaque couple croisé, tout en évitant de passer devant les bars où elle la savait être, afin que nul ne soupçonnât le désarroi qui la jetait dehors à ces heures nocturnes.
Mais j'ai du mal à faire coïncider son visage tel qu'il m'apparaît dans les photographies de Man Ray :

parfait, maquillé, hiératique, son visage d'apparat, son beau masque, avec celui, ravagé d'inquiétude, que je lui imagine lorsque, revenue de ses battues désespérantes, elle se couchait, abrutie de chagrin, les jambes en chien de fusil, serrant les poings à se faire mal, épiant tous les bruits de la rue et les murmures du jardin, dans l'attente anxieuse du bourdonnement matinal de la ville qui annoncerait enfin le retour de sa maîtresse.
Djuna Barnes, à cette époque, n'avait pas encore écrit son chef-d'œuvre.
Elle n'était pas encore tout à fait Djuna Barnes.
Et elle ne savait pas encore que ses nuits de douleur passées à guetter la femme aimée allaient devenir le sujet de son livre *Le Bois de la nuit.*
Tout événement terrible est profitable, ferait-elle dire à l'un des personnages du roman qu'elle écrirait quelques années plus tard.
Cette année 28 de malheur lui fut, d'une certaine façon, profitable.

Djuna Barnes naquit en 1892 à Cornwall-on-Hudson, dans l'Etat de New York, d'un père décrit comme excentrique et d'une mère qui avait dans sa jeunesse étudié le violon.
On la baptisa Djalma, du nom d'un personnage d'Eugène Sue dans le roman *Le Juif errant,* que ses frères déformèrent en Djuna. Ce prénom lui resta.
Son père, qui avait sur tout sujet des idées personnelles, refusa de l'inscrire à l'école (d'où l'orthographe désastreuse qu'elle eut toute sa vie), estimant que l'éducation et la religion qu'on y

enseignait ne pouvaient fabriquer que des couards. Pour combler ses lacunes scolaires, sa grand-mère, qui était féministe et lettrée, lui lut Thackeray et Shakespeare.
Elle fut donc bien élevée.
Dès son plus jeune âge, Djuna détesta ce père dont les seules occupations notables étaient d'inventer de médiocres aphorismes, de composer au piano des opérettes qu'il n'achevait jamais et de soumettre ses enfants à des expériences bizarres (il leur fit avaler un jour du gravier, à l'instar des poules de leur ferme pour, dit-il, leur nettoyer les entrailles). Mais elle détesta encore davantage les maîtresses de son père, et tout particulièrement ladite Amelia d'Alvarez, une cantatrice obèse qui se prétendait péruvienne et de sang noble, et qu'elle caricatura sans pitié dans *Ryder* sous la forme d'une vache au regard hébété.
Sa mère lui inspira des sentiments plus ambigus. Révoltée devant la faiblesse de cette femme qui supportait d'être humiliée par un mari volage, blessée de servir de victime émissaire à sa jalousie et à ses frustrations, elle veilla cependant sur elle jusqu'à la fin de sa vie et lui dédia en 1915 le recueil *The Book of Repulsive Women* avec ces mots : *A ma mère qui fut plus ou moins comme toutes les mères, mais étant mienne fut la meilleure.* Devenue adulte, Djuna Barnes, qui avait été durant son enfance le témoin déchiré, impuissant, du malheur maternel, se jura solennellement deux choses : 1° Ne jamais avoir un enfant qui aurait à subir une vie aussi triste et amère que la sienne et 2° Ne jamais dépendre de quiconque (ce à quoi elle ne put parvenir).

Quant à ses quatre frères, elle les détesta autant qu'ils la détestèrent, la croyant susceptible, en sa qualité d'écrivain, de dévoiler les horreurs familiales dont ils étaient, d'une certaine façon, complices (Djuna Barnes fut, semble-t-il, au su de tous les siens, victime d'un inceste).
Dans la ferme de Long Island où la famille s'installa en 1909, sa mère, ses frères et elle-même durent accomplir les tâches que le père, trop occupé à des choses artistico-amoureuses, dédaigneusement, délaissait. Et Djuna travailla comme un homme à retourner la terre, moudre la farine, pétrir le pain et tuer les poulets, couic, en leur tordant le cou.
De ces expériences agricoles, elle garda une franchise rude de paysanne, le plaisir viril de lancer des jurons, un regard frontal sur la saillie des bêtes et, dans une logique extensive, sur toutes les variantes de la fornication humaine, ainsi que l'habitude de désigner par leur nom, et souvent par leur nom grossier, les organes mis en branle dans les activités susdites. Autant de choses infiniment précieuses à qui rêve d'un destin d'écrivain, je le dis sans la moindre ironie.

En 1912, elle quitta la maudite ferme et s'inscrivit à l'Ecole des beaux-arts à New York, puis au Pratt Institute de Brooklyn pour y étudier le dessin. N'ayant pas les yeux dans sa poche, comme il fut dit précédemment, elle s'y montra extrêmement douée. Et afin de pourvoir à ses études, posa, immobile et drapée, devant des étudiants pleins de trouble.

Après la séparation de ses parents et pour soutenir financièrement sa mère et ses frères, elle travailla comme journaliste au *Brooklyn Daily Eagle*, auquel elle fournit tant de textes et de dessins de qualité qu'elle finit par en devenir une collaboratrice régulière.
Installée à Greenwich Village, elle publia en 1915 *The Book of Repulsive Women* qu'elle illustra elle-même, écrivit de courtes pièces de théâtre sous le pseudonyme ô combien gracieux de Lydie Quelquechose et collabora aux plus grands journaux : *The Press, The World, The Morning Telegraph...*
Belle comme la nuit, élégante et sombre, toujours enveloppée de sa fameuse cape noire, elle séduisit les hommes en nombre et finit par épouser un journaliste acquis aux idées socialistes, Courtenay Lemon, avec lequel elle éleva un perroquet. Mais ce ciment parental ne suffit pas à préserver la relation conjugale. Et celle-ci ne s'éternisa pas : Courtenay Lemon n'aimait pas les boucles d'oreilles de Djuna, ce qui, à la longue, on le comprend, n'était absolument pas tolérable.
Après leur rupture, Djuna Barnes n'eut pas moins de dix- neuf amants successifs tous assortis à ses chemises de nuit, la liberté d'une femme se mesurant alors au nombre d'amants expédiés. Le vingtième en puissance lui ayant demandé à brûle-pourpoint si elle était libre, elle lui répondit, railleuse, qu'elle était chère, et le planta là. C'est que son esprit était tout occupé à des choses d'importance : son départ imminent pour Paris qui représentait, pour elle et pour tous les Américains de sa génération, la capi-

tale culturelle du monde et le passage obligé pour tout artiste digne de ce nom.

Pendant la traversée (on était en 1920), elle observa malicieusement ses consœurs américaines *qui croyaient s'offrir déjà leur brevet d'Européennes en se soumettant à des caresses étrangères.*
Pour sa part, elle s'y refusa, convaincue que ce même diplôme pouvait s'obtenir sans fatigue sexuelle ni refroidissement, et eut l'honneur d'être invitée à la table du capitaine, lequel la fit rire si fort que toutes les têtes se retournèrent. (Djuna Barnes, qui observait toujours un maintien réservé, éclatait d'un rire explosif aux plaisanteries qu'on lui servait, puis, comme on se ressaisit après une inconvenance, revenait sans transition à sa dignité initiale.)

Arrivée à Paris, elle s'installa à l'Hôtel d'Angleterre, 24, rue Jacob, que fréquentait une troupe braillarde d'Américains expatriés.
Dans cette période de l'entre-deux-guerres, tous les Américains étaient fous de la vieille Europe, fous de Paris et fous des cafés de Paris.
Avec le recul des années, on s'aperçut que tous les écrivains et artistes qui plus tard deviendraient fameux étaient venus s'y réfugier : Ezra Pound, James Joyce, Hemingway, F. Scott Fitzgerald, Man Ray, Samuel Putnam, Williams Carlos Williams, John Dos Passos, Matthew Josephson, Malcolm Cowley, Edward E. Cummings, David Loeb Goodis, Ford Madox Ford, Beckett, et j'en oublie sans doute.

Les Américaines n'étaient pas moins nombreuses que leurs compatriotes. Fuyant le puritanisme étroit de leur pays et l'hypocrisie qui frappait les choses du sexe, elles formaient une société aussi passionnante, sinon plus, que celle des hommes, une *Gomorrhe tempérée* et très éprise d'art, dont l'influence était si grande qu'elle fit dire à certains qu'elle tenait la rive gauche.
Ces femmes s'appelaient Sylvia Beach, Iris Tree, Mina Loy, Kay Boyle, Berenice Abbott, Mary Reynolds, Nina Hamnett, Kiki, Joséphine Baker, Flossie Martin, Margaret Anderson, Nancy Cunard, Gertrude Stein, Edith Wharton, Natalie Barney, Peggy Guggenheim, Janet Flanner, Solita Solano... toutes singulières et talentueuses, toutes indépendantes et assoiffées de liberté, et toutes, ou presque, lesbiennes.

Si durant ces années Paris ne fut pas, pour tous ces exilés, la fête promise, si certains y souffrirent d'un manque cruel d'argent et des effets délétères d'un petit milieu qui pouvait à l'occasion se montrer venimeux et bassement cancanier, Paris fut, pour la plupart d'entre eux, un lieu inouï d'échanges, de recherches, d'inventions, de collaborations et d'entraides, un laboratoire comme il n'y en eut jamais, et comme sans doute il n'y en aurait jamais plus, ce n'est pas sans nostalgie que j'écris ce qui précède.

Djuna Barnes se laissa prendre à cette effervescence.

Elle rencontra le poète Ezra Pound, tignasse rousse et yeux de fauve qui, immanquablement, lui fit la cour. Elle éclata de rire. Virilement le rembarra. Et commenta posément le lendemain : *Il devait essayer sur nous toutes.*
Ezra Pound, à cette époque, était le cœur de la vie littéraire à Paris. Il savait repérer les talents naissants comme personne et soutenait avec une générosité inlassable les artistes en devenir et les revues publiant les textes d'avant-garde que les grandes maisons d'édition, pour des raisons tristement financières, refusaient. Ezra Pound se battait contre l'emprise du profit (bataille où plus tard il s'égarerait, mais c'est une autre histoire) et les pressions du conformisme qui laissaient, pensait-il, de moins en moins de place au talent créateur. Et il aidait les jeunes auteurs de toutes les façons, si bien que Cummings put dire, et sans doute à raison, que tous les écrivains de sa génération lui étaient redevables. Entre lui et Djuna, deux électriques, la sympathie fut immédiate, et lorsque parut *L'Almanach des dames,* Pound se répandit en louanges.

Tout à sa découverte de Paris, Djuna Barnes se prêta complaisamment aux jeux sociaux qui se pratiquaient alors.
Elle posa pour Man Ray et Berenice Abbott qui firent d'elle des portraits splendides et glacés.
Se rendit à la librairie Shakespeare and Company dont Mc Almon et Joyce étaient les habitués, endroit incontournable pour tout Américain normalement constitué, avait écrit Williams Carlos

Williams. Djuna Barnes, qui *a priori* l'était, y fut chaleureusement accueillie par Sylvia Beach laquelle la trouva aussi irlandaise que Joyce (être irlandais comme Joyce était alors le plus flatteur des compliments).
Elle se lia d'amitié avec Hemingway, qui jouait les durs au Dingo Bar, lui qui était, selon Joyce, un cœur doux et sensible.
Avant d'arriver à Paris, Hemingway avait roulé sa bosse, comme on disait alors, ça se voyait aux cicatrices (vingt-sept sur le corps, pour être exacte, et une immense à l'âme), et ça plaisait énormément. Jeune et neuf, enthousiaste, taillé en athlète, débordant d'une énergie increvable, il sillonnait Paris à vélo, s'entraînait à la boxe avec Pound, jouait au tennis avec Goodis, suivait régulièrement les courses hippiques d'Auteuil et les championnats cyclistes du Vel' d'Hiv', faisait des virées à Pampelune pour assister à des corridas, plastronnait le soir au Sélect, et envisageait le plus sérieusement du monde de devenir chauffeur de taxi.
Il parlait cru, écrivait de même, et passait ses matinées penché sur son cahier à La Closerie des Lilas, toujours vissé à la même table.
Lorsque fut publié en 1964, à titre posthume, *Paris est une fête,* Djuna confia à Peggy Guggenheim : *Le gamin a fini par cracher le morceau* (elle voulait dire, je crois, que Gertrude Stein, qu'elle n'aimait pas, y était enfin renversée de son socle).
Le gamin, quant à lui, trouva de son vivant que son amie Djuna était une grande dame.

C'est très précisément parce qu'elle l'était que Djuna eut le privilège insigne de se promener au

bois de Boulogne en compagnie de Nora et James Joyce (lequel souffrait d'une peur phobique des chiens – ce détail, je ne sais pourquoi, m'enchante).
Joyce et Nora étaient si simples dans leurs manières et si peu prétentieux que, très vite, entre Djuna et eux, les barrières tombèrent. Joyce éprouvait une sorte de mépris provincial pour la sophistication parisienne qui le rendait, dans un salon mondain, d'humeur lugubre. Il préférait de loin boire un verre au Gipsy's (un dancing du boulevard Saint-Michel fréquenté par des putes) assisté de Larbaud et Mc Almon (lesquels durent une nuit le ramener à bord d'une brouette tant il avait abusé du whisky), ou recevoir ses amis chez lui pour leur chanter au piano des chansons irlandaises et leur lire, souriant de malice, des passages d'*Ulysses.*
C'est ce qu'il fit pour Djuna Barnes, que ses lectures firent éclater de rire.
En signe d'amitié, et peut-être pour la remercier de ce rire qu'elle avait, si populo, si beau, il lui offrit son manuscrit annoté d'*Ulysses,* qu'elle revendrait, par manque d'argent, quelques années après.

Pour l'instant, Djuna était suffisamment argentée pour inviter au Flore Janet Flanner, correspondante au *New Yorker,* et Solita Solano, sa maîtresse. Et on pouvait les voir, certains jours, assises en rang comme trois Parques, très droites, très pâles, silencieuses et toutes vêtues de noir. Inquiétantes. Splendides.
Djuna, qui éprouvait une vive sympathie pour Janet et Solita, les croqua dans son *Almanach des dames* sous les noms de Nip et de Tuck.

Gertrude Stein, en revanche, lui inspira une insurmontable aversion. Hommasse, imposante, sûre d'elle autant qu'avide de notoriété, déclarant à qui voulait l'entendre que les Français n'avaient nulle disposition pour la littérature (leur seul tort étant de n'avoir pas su découvrir son génie), Djuna la trouva insupportable et pour tout dire casse-choses, dotée d'un ego monstrueux et parfaitement indifférente à tout ce qui n'était pas elle. Se considérant comme la première et la plus grande expérimentatrice du siècle en matière d'écriture, se désignant elle-même comme un immense auteur, elle regardait de haut les autres écrivains, et tout particulièrement cet incompréhensible Irlandais nommé James Joyce qui avait le mauvais goût de lui disputer l'attention et les éloges. Du reste, elle ne parlait jamais favorablement que des écrivains qui avaient été gentils avec elle (traduisez : flatteurs).
Un monstre est un monstre est un monstre.

Djuna Barnes, à sa manière, l'était aussi, mais dans un tout autre genre.
Un soir, Edmund Wilson, qui était directeur de *Vanity Fair*, rédacteur en chef du *New Yorker*, regardé comme le plus grand critique littéraire de son temps et, à ce titre, très courtisé, l'invita à dîner dans un grand restaurant de Montparnasse. Très épris de Djuna, il lui proposa à la fin du dîner de partager, tout bonnement, sa vie. Djuna le rabroua alors avec la dernière inélégance : il avait eu le mauvais goût de lui vanter, juste avant sa déclaration, les écrits d'Edith Wharton, dont elle n'expliquait le

succès que par l'abondance de poncifs dont ses romans étaient truffés et qu'elle trouvait décidément beaucoup trop pot-au-feu.
Djuna, dans de telles circonstances, ne prenait pas de gants. Son adolescence paysanne, qui l'avait conduite à égorger des poules sans faire de façons, resurgissait soudain derrière ses bonnes manières et vous sautait à la figure.
Son écriture détenait ce même pouvoir.

Si Djuna Barnes détestait donc les romans de Wharton autant que sa personne (une mondaine qui prenait le thé dans le salon bourgeois de cette Minnie Bourget qui se piquait de littérature et s'offusquait, *my God!* des déviances sexuelles exprimées par Marcel Proust!), elle appréciait à sa juste valeur le fameux Robert Mc Almon, déjà cité, personnage haut en couleur, qui s'était installé à Paris après avoir épousé (mariage non consommé) une riche écrivaine lesbienne surnommée Bryher (laquelle, ne pouvant s'acclimater au Paris littéraire, finit par s'enfuir en Suisse avec un Ecossais). Mc Almon était écrivain (aujourd'hui oublié, comme tant, comme tous, ou presque), directeur de l'audacieuse revue littéraire *Contact*, éditeur tout aussi audacieux de la maison d'édition Contact Publishing Company, et dactylographe occasionnel de Joyce dont il était l'ami. Il avait des yeux bleus aussi froids que la glace, portait à l'oreille une turquoise en guise de bijou et, d'une bouche mince qui fendait en deux son visage, lançait à qui voulait l'entendre qu'il était bisexuel tout comme Michel-

Ange, excusez du peu, et qu'il se foutait éperdument que tout le monde le sût.
Mc Almon avait une faiblesse : il buvait démesurément et à la façon d'un barbare.
Souvent trop ivre pour s'arracher à la table de bar à laquelle il était amarré, il apostrophait tous ceux qui l'approchaient : des dégénérés, des glandeurs, des morveux indisciplinés et complaisants, des peigne-culs, des sans-couilles, bref, des Américains (les Anglais pouvant être mis dans le même sac).
Joyce, qu'aucun écrivain de la colonie anglo-américaine ne se serait permis de houspiller, y avait droit comme les autres. (Il faut rappeler que Joyce, qui avait publié *Ulysses* en anglais en 1922, jouissait d'une admiration religieuse de la part des écrivains anglo-américains, admiration qu'étaient loin de partager, notons-le, les grands auteurs français de l'époque tels que Proust, Gide, Claudel ou Valéry, parfaitement insensibles, sinon hostiles au génie joycien.)
C'est sur un échange de piques que Mc Almon devint l'un des amis les plus fidèles de Djuna Barnes, laquelle, derrière ses grands airs, savait riposter à une raillerie par une raillerie et à une grossièreté par une autre de la même farine.
En 1925 il lui demanda d'écrire un texte pour une anthologie : *Contact Collection of Contemporary Writers,* ouvrage qui regroupa les noms de Joyce, Gertrude Stein et Hemingway. Le must.

Un jour que Djuna prenait un verre au Sélect en compagnie de son amante Thelma, un journaliste passablement éméché vint s'asseoir à sa table et osa un geste inconvenant à son endroit. Le grossier personnage ayant touché à son honneur, qu'elle avait sensible, Djuna joua les offusquées et l'exprima de la façon la plus sonore. Jimmy, le barman, essaya aussitôt d'entraîner le malotru au-dehors, bientôt suivi des deux femmes qui se mirent à l'injurier copieusement. Vexé par cet affront, celui-ci envoya un coup de poing au malheureux Jimmy, avant de se jeter sur les deux femmes dans l'intention manifeste de leur donner une correction. Sur ce, Mc Almon, présent dans le café, ne fit qu'un bond jusqu'à la rixe, jeta à terre le trublion d'une poigne de fer, et l'immobilisa en s'asseyant de tout son poids sur sa poitrine. Le journaliste, suffoquant sous le fessier mcalmonesque (d'un volume appréciable), jura sur la tête de sa mère qu'il ne bougerait plus. Mais à peine lâché, ce matricide en puissance se dressa comme un ressort et reprit aussitôt la bagarre. Jimmy, qui avait sa fierté, décida d'en finir et l'expédia au sol par un bel uppercut.

La vie des Américains était, en ce temps-là, on le voit, des plus trépidantes.
Le Dôme, La Coupole, le Flore, le Sélect, la Rotonde, le Dingo Bar regorgeaient nuit et jour d'une foule en proie *à cette grande inquiétude qu'on appelle l'amusement* (c'est Djuna Barnes qui parle), et beaucoup s'y livraient à des exhibitions qui défrayaient la chronique.
Les surréalistes, Aragon en tête, n'étaient jamais en reste et, s'ils occupaient une table au Dôme,

elle était, inévitablement, la plus tapageuse. Car, à l'époque (j'en pleurerais de nostalgie), les jeunes écrivains *faisaient de la liberté des abus divers et précieux.* Quant à Djuna, c'est par son élégance qu'elle attirait les yeux, une élégance qui ne l'empêchait nullement de jurer, à l'occasion, comme un charretier, de repousser les avances masculines avec une vulgarité déconcertante et de viser les crachoirs à plus de trois mètres avec une diabolique précision.
Djuna était intacte et fruste, disait Natalie Barney, autant que follement élégante, et ces deux mondes en elle s'affrontaient, se juxtaposaient, se défiaient et s'entrelaçaient constamment.
Djuna était baroque.
Son écriture *idem*, merveille des merveilles.

Timide, hautainement timide, Djuna pouvait rester des heures à la terrasse du Flore où s'entassaient les Américains qui passaient leur temps à répéter : *It's marvelous to be here!* et l'alcool lui donnait, passagèrement, de l'assurance.
Elle aimait se recueillir dans le silence des églises.
Ecrivait le matin dans son lit.
Se nourrissait d'omelettes (seul plat qu'elle savait désigner en français) dans des restaurants à nappes (car elle avait de l'argent).
Gagnait, en effet, correctement sa vie grâce à des articles dans *Vanity Fair, The New York Tribun, Charm* et les ventes assez conséquentes de son roman *Ryder* et de son *Almanach des dames* annuel (un petit livre de portraits qui révélait *les signes et les marées, les diurnes et nocturnes affections* de ses amies américaines).

Et jouissait du respect de toute la colonie américaine pour son intelligence, son talent et un humour féroce qu'elle exerçait sur tout ce qui lui semblait convenu, contrebalancé par une forme de distinction douloureuse dont elle ne se départait jamais.

Elle était soutenue dans ses projets d'écriture par deux Américaines richissimes, Natalie Clifford Barney et Peggy Guggenheim, dont je dois dire ici quelques méchancetés.

Miss Clifford Barney, l'Amazone, régnait sur le plus célèbre des salons parisiens. Chaque vendredi, les personnalités les plus en vue de Paris se pressaient dans son appartement de la rue Jacob où se faisaient et se défaisaient les réputations du moment. Dans le jardin, devant un petit temple dédié à Eros, des femmes dansaient entre elles (ce qui laissa un souvenir impérissable à Williams Carlos Williams), tandis que des Chinois impassibles assuraient le service en offrant des boissons.

Ouvertement lesbienne et désireuse de promouvoir la littérature féminine, Natalie Barney décida d'organiser en 1927 des rencontres entre des écrivaines françaises et anglophones.

Colette, une couronne de fleurs sur la tête, lut des extraits de *La Vagabonde,* en roulant les *r* à la russe, et Djuna Barnes, que Natalie Barney présenta comme son amie, partagea la soirée du 3 juin avec la Française Rachilde.

Mais Djuna Barnes, qui était dépourvue du talent de ceux qu'on appelle les beaux parleurs (chose horrible que ce talent, écrivit Baudelaire pour me

consoler de souffrir d'une paralysie mentale dès lors que je dois gloser), balbutia son texte et, pour tout dire, le massacra.
Natalie Barney dut tristement en convenir : elle n'avait jamais présenté un auteur plus gauche et plus incapable de servir sa propre cause (un tel comportement viendrait-il confirmer l'hypothèse selon laquelle les écrivains seraient les pires vendeurs d'eux-mêmes ?).

Natalie Barney et Djuna Barnes eurent l'une pour l'autre une amitié que rien n'entama. Et s'il arriva à Djuna Barnes, sous l'emprise de la boisson, de gratifier Natalie Barney de quelques noms d'oiseaux, leur affection sut résister à ces adorables et très volatiles invectives.
Dans *Le Bois de la nuit*, Djuna Barnes écrivit de son amie de cœur qu'on pouvait tout lui confesser car *elle enregistrait sans reproche ni accusation, étant elle-même dépourvue d'auto-reproche et d'auto-accusation. Cela attirait les gens et les effrayait ; ils ne pouvaient ni lui faire insulte ni retenir quoi que ce fût contre elle, malgré l'amertume d'avoir à reprendre l'injustice qui n'avait pas trouvé en elle où poser le pied.*

Avec Peggy Guggenheim, l'autre *pauvre petite milliardaire,* le lien fut autrement plus complexe.
L'une avait le talent, l'autre le fric.
Les deux des caractères forts.
Les deux le même orgueil.
Les deux la même violence.
Lors d'un entretien que Peggy Guggenheim accorda au *Times* en 1961 elle déclara à propos des

artistes qu'elle finançait – et Djuna Barnes en était : Je me tue pour eux, mais la vérité c'est que je les déteste.
Djuna Barnes lut et relut l'article, le découpa en maudissant cette salope pleine aux as envers laquelle elle était, pour son malheur, redevable, et le rangea soigneusement dans une boîte toute spéciale, afin de conserver intacte la preuve indiscutable de l'offense, et remâcher infiniment son ressentiment.
Après quoi, elle lui fit un bras d'honneur psychologique, offense ignorée de son ennemie et néanmoins mécène, mais toutefois efficace sur un plan personnel.

A partir de 1927, quelque chose changea dans la vie de Djuna Barnes et de ses amis américains.
Au mois d'août de cette année-là, des ouvriers parisiens agressèrent des touristes américains qui se prélassaient aux terrasses des cafés pour protester contre l'exécution de Sacco et Vanzetti.
Paris perdit peu à peu de son faste.
Les liens entre les uns et les autres, qui avaient été si joyeux, si féconds et souvent fraternels, commencèrent de se distendre.
Le petit chien d'Edith Wharton décéda. Ce fut un drame.
Hemingway, enrichi par l'énorme succès de *The Sun also Rises,* se prépara à quitter Paris avec sa deuxième épouse Pauline, départ qui laisserait dans la capitale un trou mental des plus profonds.
Joyce se vit peu à peu lâché par ceux qui, durant des années, l'avaient aidé de toutes les façons, et se montraient las de payer ses ardoises.

Larbaud, qui avait la responsabilité de la traduction française d'*Ulysses,* faillit perdre la raison en essayant de concilier les prérogatives divergentes de James Joyce, l'auteur, avec celles de Morel et Gilbert, les traducteurs, et de Sylvia Beach, l'éditrice.
Cette dernière, qui avait toujours manifesté pour Joyce un dévouement tout maternel, donna elle aussi des signes de lassitude et prit lentement ses distances.
Mc Almon supporta de moins en moins la flopée de flatteurs, dévots et domestiques bénévoles qui s'étaient regroupés depuis une dizaine d'années autour de saint James Joyce, se mit à boire de plus en plus, et à jurer en proportion.
Quant à Djuna Barnes, elle vécut une saison infernale.

Quelques années auparavant, Berenice Abbott lui avait présenté la jeune Thelma Wood, une Américaine qui avait *la beauté d'un garçon,* et dont elle tomba aussitôt follement amoureuse.
Djuna et Thelma emménagèrent peu après dans un appartement du boulevard Saint-Germain, puis dans un autre plus beau, rue Saint-Romain, que Djuna acheta.
Thelma Wood se disait sculptrice. Mais si ses œuvres ne connaissaient qu'un succès mitigé, son magnétisme sexuel, en revanche, fit à l'époque quelques ravages.
Après une courte période d'idyllique amour, Thelma se mit à traîner dans les bars et les boîtes de

nuit, tellement ivre parfois qu'elle s'affalait de tout son long sur la piste de danse du Bœuf sur le toit dont les Américains avaient évincé la clientèle française pour en faire la boîte la plus coûteuse de Paris.

Dans son ivresse, elle nouait des liaisons de passage avec n'importe qui, homme ou femme indifférem-ment, et revenait chez elle au petit matin dans l'état lamentable que l'on peut aisément deviner.

Bientôt, Djuna cessa de l'accompagner dans ses expéditions nocturnes afin de ne pas être le témoin humilié de ses débordements et séductions tous azi-muts. Mais une nuit, quelqu'un lui ayant téléphoné que Thelma se trouvait dans l'incapacité physique de rentrer, elle courut à sa recherche et la trouva ivre morte dans les bras d'un inconnu. Comme elle tentait de l'arracher à l'ignoble profiteur, Thelma, qui avait conservé, en dépit de son ébriété, de belles capacités phoniques, se mit à l'invectiver de la plus virulente manière.

Le goujat s'éclipsa.

Les deux femmes sortirent.

Les passants s'attroupèrent.

Thelma qui était, à l'instar de Djuna, fort bien pourvue en épithètes injurieuses, continua de cra-cher des horreurs, et ce en langue anglaise, ce qui ajouta à la scène un côté folklorique qui plut énormément.

Un agent de la force publique au ceinturon auto-ritaire et à la démarche cloutée, martialement, s'approcha.

Thelma posa langoureusement sa tête sur l'épaule virile, puis brusquement s'écroula.

Il fallut une bonne demi-heure à Djuna, aidée du barman et de l'agent tout chose, pour la remettre en station verticale.
Une fois couchée dans son lit, Thelma appela Djuna mon ange et, sur ces douces paroles, tomba à pic dans un sommeil de plomb, accompagné, comme on le dit d'un orchestre jouant pour un chanteur, de ronflements puissants.

Le malheur est ce que nous cherchons tous, dit le Dr O'Connor dans *Le Bois de la nuit.*
Djuna trouva-t-elle dans sa relation à Thelma le malheur qu'elle cherchait ? Je serais assez portée à le croire.
Le comportement de son amante, en tout cas, la ruina.
Elle se mit à boire avec outrance. A oublier de manger, de dormir, d'écrire, à tout oublier excepté son amante. A se foutre de tout de ce qui n'était pas elle. A vivre son absence comme une mortelle privation. A ne rien faire d'autre que l'attendre et l'attendre. A craindre continûment qu'elle se détournât d'elle. A épier la nuit dangereuse dans un affût constant. Ou à partir en chasse sur les traces coupables et rentrer au matin dévastée de chagrin, au point de désirer que sa maîtresse meure, meure, ou ne réapparaisse jamais.
Ma vie est devenue un enfer, confia-t-elle un soir de désespoir à son ami Robert Mc Almon.
L'enfer dura encore quelque temps.
Et Thelma se fit chaque jour plus odieuse.
Car l'alcool attisait ses sentiments jaloux, lesquels n'avaient du reste aucune raison d'être. Et ceux-ci

l'amenaient à souhaiter, dans son délire, que Djuna demeurât prisonnière entre ses quatre murs, afin de restreindre au maximum le risque de tromperie.
Un matin, elle fut prise d'une telle rage en voyant que Djuna n'était pas restée là à l'attendre comme à son habitude, qu'elle s'empara de la poupée de chiffon – leur enfant – qui trônait sur leur lit, la lança sur le sol et rageusement la piétina.
Ce geste était pour Djuna rien moins qu'une profanation.
La vie commune était devenue insoutenable.

A ce moment-là de sa vie, Djuna trouva souvent consolation auprès de Dan Mahoney, un Américain d'origine irlandaise, très homosexuel, très spirituel, très brillant, très généreux, se flattant d'être le menteur le plus éhonté de la terre et que l'on voyait régulièrement escorté d'une cohorte de lesbiennes en adoration devant lui.
Il avait étudié la médecine à Standford University et l'exerçait à Paris de la façon la plus illégale. Mais son activité principale consistait à émettre des considérations d'ordre philosophique entrecoupées, selon une logique toute personnelle, de quelques gravelures, assis à une table du Café de la Mairie, place Saint-Sulpice, devant d'inamovibles (bien que chancelants) piliers de bar. Car le Dr Dan Mahoney se montrait extrêmement exigeant sur la qualité de son auditoire, choisi de préférence dans ces lieux où l'esprit populaire donnait, selon lui, le meilleur de lui-même.
Ce Dan Mahoney, que Djuna passa cette année-là de longues heures à écouter, afin de s'oublier un

peu, afin d'ajourner un peu son chagrin, de le mettre un moment en stand-by, ce Dan Mahoney devant qui elle afficha un petit sourire technique car il n'était pas question qu'elle s'effondrât devant quiconque, et pour qui elle exagéra son rire de sauvage afin de mieux l'abuser, ce Dan Mahoney, disais-je, donnerait plus tard figure au plus désemparé des désemparés, au plus humain des humains du *Bois de la nuit* : l'extravagant Dr Matthew O'Connor, exalté, grandiloquent, truculent, volubile, excessif, mêlant dans ses lyriques envolées de puissants vols d'aigle aux remarques les plus triviales, un extrême raffinement spirituel à un mauvais goût fermement assumé, tout ce que j'aime, exemple :
Oh cria-t-il vous avez le cœur brisé ? Moi, j'ai la voûte plantaire aplatie, des pellicules qui pleuvent... Mais est-ce que je crie qu'un aigle me tient par les couilles ou qu'il a laissé tombé son huître sur mon cœur... Est-ce que je me plains aux montagnes des ennuis que j'ai eus dans la vallée, à chaque pierre de la manière dont elle m'a rompu les eaux, ou de chaque mensonge de la façon dont il m'est descendu dans l'estomac et m'y couver pour ma mort ?
Personnage, comme Djuna, totalement dépourvu d'illusions : *Nous serons pour la prochaine génération,* dit-il, *non pas la fiente massive tombée du dinosaure, mais la petite tache que laisse un oiseau-mouche.* Ce qui est mieux que le néant. Quoique.
Eliot écrirait à son propos dans sa préface au *Bois de la nuit* : le Dr O'Connor parlait sans cesse *afin de noyer la plainte et le gémissement toujours faibles de l'humanité, afin de rendre sa honte plus supportable et moins immonde sa détresse.*

Un jour, donc, Djuna découvrit que Thelma entretenait une relation amoureuse qui semblait plus durable et dangereuse que les autres. Dans *Le Bois de la nuit*, elle ferait un portrait effroyable de cette Jenny avec qui sa maîtresse l'avait trompée : visage crochu, petit corps féroce, âme méchante et paroles ineptes qui tombaient de sa bouche comme si on les lui avait prêtées.
Djuna, disais-je, découvrit l'infidélité de Thelma et tenta de juguler l'événement.
Elle accusa. Thelma nia. Elle insista. Thema admit. Elle rompit. Thelma implora. Elle resta sourde. Thema supplia. Alors Djuna, sur le ton des grands jours, confirma définitivement la rupture.
L'histoire était finie.
Et les deux femmes ne se parlèrent plus que par le biais du téléphone, et fort aigrement.
Après quoi, Djuna se mit à boire au goulot du Jack Daniels, et ce dans de telles proportions que survinrent des crises de delirium tremens au cours desquelles elle vit, terrorisée, d'étranges animaux sur les murs de sa chambre la dévisager avec une malveillance manifeste et, pour tout dire, franchement ennemie.
Puis son chagrin s'usa comme toute chose, en même temps que son besoin de l'anéantir par l'alcool. Et les étranges animaux se désagrégèrent en son âme.

Durant l'été qui suivit, je ne sais quelles circonstances (la solitude probablement) la rapprochèrent de Charles Henry Ford, poète et romancier américain qui publiait le magazine *Blues*.

Après qu'elle eut subi une intervention chirurgicale, Charles Henry Ford qui l'admirait se proposa de prendre soin d'elle durant sa convalescence et s'installa dans la chambre de bonne de son appartement.
Tous deux s'entendirent à merveille, et Charles Henry Ford déclara que Djuna Barnes était la femme la moins bourgeoise qu'il eût jamais rencontrée dans sa vie.
Ensemble, ils visitèrent Vienne, Budapest et Munich. Puis Djuna alla le rejoindre à Tanger que lui avait vanté son ami Paul Bowles. Mais elle dut interrompre son séjour car elle se découvrit enceinte, par étourderie, des œuvres du peintre Jean Oberlé, et repartit pour Paris en vue d'interrompre la grossesse.
C'est durant cette période que Djuna commença d'écrire ce qui deviendrait bientôt *Le Bois de la nuit.*
Elle y mit de sa vie ce qu'il fallait.
Elle y mit Paris, la place Saint-Sulpice et le Café de la Mairie.
Elle y mit son ami le baroquissime et désespéré Dan Mahoney qui devint dans le livre le Dr O'Connor.
Elle y mit son ancienne maîtresse Thelma, dont elle s'était suffisamment éloignée pour qu'elle prît la forme d'un personnage de fiction, Thelma qui se transfigura en Robine, du nom emprunté à l'une des chiennes de Peggy Guggenheim (ce qui ne fut pas exactement du goût de la victime).
Elle y mit enfin son sens de l'élégance, son ironie, sa brutalité et ses lancinantes désillusions.

En 1932 Peggy Guggenheim, voyant combien sa vie à Paris était devenue difficile, l'invita à passer l'été

dans le Devon. Djuna accepta et arriva en août au manoir de Hayford Hall avec l'escorte de Peggy au grand complet : le cuisinier, la femme de chambre, les deux enfants, leur gouvernante, son mari John Holmes, et Emily Coleman.
Emily Coleman, qui avait un petit talent de romancière, se prit de passion pour *Le Bois de la nuit* que Djuna, enfermée tout le jour dans sa chambre, continuait d'écrire dans une sorte de frénésie.
Emily était soupe au lait, et ses colères fatiguaient son entourage. *Il suffirait de t'assommer légèrement pour que tu sois exquise*, lui dit un soir Djuna avec cet esprit que tous lui enviaient. Emily ne lui en tint pas rigueur, et suivit amoureusement et de jour en jour la progression du livre.
Une fois celui-ci terminé, Djuna le dédia à Peggy Guggenheim et à John Ferrar Holms, lesquels l'avaient vu naître, grandir et s'achever.

Djuna, de retour à New York, présenta son manuscrit à quelques éditeurs qui tous lui opposèrent un refus catégorique.
Elle cessa d'écrire. Se piqua de peinture. Alla chez un coiffeur d'où elle sortit *frisée comme un cul de mouton*. Et connut de grands moments de détresse conjugués à de grands moments d'alcoolisme.
Quelque temps après, elle se rendit, à l'invitation de Peggy, dans sa nouvelle maison anglaise, se lia d'amitié avec son amant Samuel Beckett, lequel avait un regard d'épervier, et rencontra un dénommé Edward James, mécène anglais célèbre à cette époque, avec qui elle se montra parfaitement odieuse, elle avait ce talent.

En 1935, Emily Coleman confia le manuscrit du *Bois de la nuit* à Edwin Muir, poète et traducteur anglais, qui se mit à délirer d'enthousiasme. Quant au romancier Dylan Thomas, qui en avait eu une copie entre les mains, il fut lui aussi tellement émerveillé qu'il en lut des extraits lors de ses conférences en Amérique.

TS Eliot, qui avait publié en 1922 le fameux *Waste Land,* décida en 36 de prendre le roman chez Faber & Faber où il occupait des fonctions d'éditeur. Mais la maison, bien peu chrétienne et qui ne croyait pas du tout au succès du roman, ne donna aucune avance à Djuna, dont les revenus étaient à présent cachectiques.

Deux ans après, le livre fut repris aux USA par les éditions Harcourt Brace.

Les critiques américains, dans un bel ensemble, le blâmèrent. L'un d'entre eux crut y voir, brrrr, *les frissons de cette décadence que cultive une certaine clique d'intellectuels repliés sur eux-mêmes, cercles où la décadence sociale et la perversion sexuelle ont fini par détruire toute sensibilité aux valeurs authentiques.*

Djuna repartit alors vers Paris dont elle avait gardé la nostalgie. Mais son séjour s'avéra calamiteux : la guerre et les désastres annoncés la jetèrent dans une sorte de terreur continuelle. Elle fut internée pour dépression grave dans une maison de santé d'où Emily Coleman réussit, on ne sait comment, à l'arracher.

Avec l'aide financière de Peggy Guggenheim, Djuna, dans un état déplorable, s'embarqua pour l'Amérique.

La vie de Djuna Barnes à New York fut comme l'envers sombre de sa vie parisienne avant Thelma. Elle vécut d'abord dans un appartement minable, s'installa avec sa mère dans la 54e Rue, fit un séjour catastrophique dans *une maison de merde perdue dans la colline* (il s'agissait de la ferme en Arizona d'Emily Coleman qui avait épousé un cow-boy irascible), fut internée d'office à la demande d'un de ses frères, se débattit tant et si bien, lorsqu'on vint la chercher, qu'elle se couvrit d'ecchymoses d'un joli violet, puis finit par trouver le petit logement où elle finirait sa vie, à Patchin Place, dans le *Village.*
Depuis l'Angleterre dont il était devenu citoyen, TS Eliot, qui avait obtenu le prix Nobel en 48, lui envoya régulièrement des lettres chaleureuses, et dans l'une d'elles lui déclara qu'elle était le plus grand génie de son temps.
Mais cet éloge n'améliora nullement son caractère acrimonieux. Et lorsque de belles âmes organisèrent, dans l'intention de l'aider, une conférence au Poetry Centre pour qu'elle prît la parole sur l'œuvre de James Joyce, elle la fit tout simplement annuler. Toute charité me répugne, déclara-t-elle avec superbe.
En 1948, elle se lança dans l'écriture d'un drame poétique en vers, *The Antiphon,* l'envoya six ans après à TS Eliot, lequel resta muet pendant plusieurs semaines, faute de pouvoir émettre un avis sincère en raison de sa susceptibilité, et finit par le publier bien plus par amitié que par réelle conviction.

A dater des années 50, Djuna Barnes vécut claquemurée dans son petit appartement.

A Carson Mc Cullers qui la suppliait d'ouvrir sa porte, elle cria d'aller au diable.
Quant à Anaïs Nin, elle ne prit même pas la peine de lui répondre, tant elle méprisait ses récits mièvres à vomir, mais saupoudrés de ce qu'il fallait de sexe pour satisfaire au goût du jour.
Djuna Barnes ferma sa porte au monde.
Et jamais plus personne ne vint la visiter.
Elle qui dans le passé avait entretenu des liens si féconds avec les artistes les plus doués de son temps se mura désormais dans une sauvage solitude.
Les vieux démons se réveillèrent, les vieilles menaces enfantines, les vieilles peurs.
Elle prit en dégoût la méchanceté des hommes en général, et celle de ses concitoyens en particulier, lesquels lui apparurent *comme une race sadique et féroce tapie derrière ses radiateurs.*
Dans *Le Bois de la nuit,* elle avait écrit : *Des confusions et des anxiétés vaincues, voilà ce qui nous compose, tous tant que nous sommes.* Vingt ans après, ses angoisses persistaient, la littérature n'étant probablement pas faite pour les vaincre. Pire, elles resurgissaient avec une violence décuplée, après s'être tues ou déguisées durant quelques années.
Djuna avait été une solitaire. Elle devint une emmurée.
Elle exigeait tant de la littérature et de ceux qui la faisaient que ses exigences finirent par s'inverser en sentiments persécutoires.
Kafka avait écrit à Brod que l'écrivain était le bouc émissaire de l'humanité.
Djuna Barnes se vécut comme telle.

Toutes les relations avec le milieu littéraire lui apparurent désormais comme autant de menaces : celles avec les médias (qu'elle connaissait trop bien pour ne pas s'en méfier) et celles avec les éditeurs (dont elle avait supporté trop d'avanies pour ne pas les abominer) plus encore.
On raconte que chaque fois qu'elle croisait dans les rues du *Village* où elle allait faire ses courses l'éditeur James Laughlin qui avait repris pour New Directions *Le Bois de la nuit,* elle lui lançait : *Alors quelles merdes avez-vous publiées ces temps-ci ?* (il avait eu le tort impardonnable d'éditer le très exécrable, à ses yeux, Henry Miller, que ces imbéciles de Français portaient aux nues pour la simple raison qu'il parlait de sexe).
Quant à Robert Giroux qui avait obtenu l'autorisation de New Directions d'inclure *Le Bois de la nuit* dans ses *Œuvres choisies,* il était saisi d'atroces migraines à peine entendait-il sa voix au téléphone : elle ne savait plus que récriminer.
Son appartement devint un taudis (son seul revenu étant la pension mensuelle que lui octroyait Peggy Guggenheim et qu'elle acceptait comme un vainqueur accepte un tribut de guerre).
Elle se disputa avec ses ombres.
En oublia de se nourrir.
Et fut quelques jours hospitalisée pour dénutrition grave.
Du monde, désormais, elle n'attendait rien.
Et toutes les femmes qui avaient compté dans sa vie parisienne et à qui elle téléphonait encore de temps à autre, Thelma Wood, Natalie Barney, Emily

Coleman et Peggy Guggenheim, disparurent les unes après les autres.
Djuna ne parla plus qu'à ses murs.

En 1970, elle rompit sa solitude pour accorder un entretien à un universitaire nommé James Scott qui voulait lui consacrer un livre.
Avant de le recevoir, elle lui demanda par téléphone de faire son autoportrait afin de pouvoir se préparer mentalement à la rencontre. Et comme celui-ci se décrivait barbu, elle exigea impérativement qu'il se rasât : son père portait la barbe, et elle ne tenait pas à mourir de frayeur.
Le jour dit, elle le reçut en chemise de nuit et robe de chambre, lui confia que personne n'avait pénétré chez elle depuis vingt-cinq années, puis lui déclara : *Il faudrait tuer les vieux. Il faudrait une loi. Les maintenir en vie comme ça c'est inhumain. Je suis déjà morte, vous savez ça ? Une fois j'ai fait la traversée et ils m'ont ramenée. Maintenant il va falloir que je repasse par toute cette horreur. C'est terrible.*
Djuna Barnes était déjà morte. Depuis longtemps elle ressassait le rien sur le fleuve des morts, tandis que son roman devenait livre culte.
Elle mourut définitivement le 18 juin 1982.
Elle avait quatre-vingt-dix ans.
Longévité sur laquelle j'attire l'attention, afin de mettre mon lecteur, bouleversé par l'annonce que je fis dans la préface des destins tragiques qui frappèrent ces femmes, afin de mettre mon lecteur, disais-je, de bonne humeur et mieux le disposer ainsi en ma faveur.

Sylvia Plath

Il arrive que les grands événements d'une vie se produisent en un instant. Le 26 février 1956, lors d'une soirée étudiante à Cambridge, Sylvia Plath rencontre Ted Hughes. Il est grand, il écrit des poèmes, il a une beauté de cinéma. Elle est exaltée, elle écrit des poèmes, sa fébrilité se trahit dans ses gestes et sa voix. Ils ont bu. Il l'embrasse. Elle lui mord la joue jusqu'au sang. Ils s'épousent le 16 juin 1956, jour du périple de Bloom dans l'*Ulysses* de Joyce, car les grands événements de la vie sont frappés, pour ces deux, au sceau de la littérature.

Leur amour au début ne connaît aucune ombre. Sylvia compose une « Ode à Ted ». Elle est radieuse. Elle a, sur les photographies de cette époque, le sourire américain, bêta de la femme comblée. Elle veut être une épouse parfaite. Toutes les femmes américaines veulent être des épouses parfaites et obéir aux conseils ménagers du *Ladies' Home Journal* ou de *Mademoiselle*.

Ted, pour l'endormir, l'entoure de ses bras, la rassure, la berce et lui murmure des mots d'amour qui font un sort à ses angoisses.

Elle le trouve immense, magnifique, un génie. Elle l'appelle son sauveur. Elle dit que privée de lui, elle mourrait au monde.

Ensemble ils voyagent en Espagne et font une halte dans un village de pêcheurs, près d'Alicante. La terrasse de leur chambre ouvre sur une mer parfaite. Ils boivent du tinto. Ils écrivent des vers. Ils rêvent l'avenir. *Ted sera le poète de l'Angleterre et je serai la poétesse de l'Amérique.* Ils éprouvent l'un pour l'autre une admiration sans réserve et le même désir de vivre en poésie. La présence de Ted fait renaître en Sylvia des énergies nouvelles et accroît son désir de se vouer entièrement à sa passion. Elle l'a décidé : elle écrira trente-trois poèmes qui heurteront violemment la critique. Car ce qui est écrit pour ne rien heurter ne mérite nullement de vivre, comme chacun le sait.

Mais les vieilles angoisses de Sylvia se raniment parfois, qui lui font redouter une rechute. Elle entend un vent de malheur rôder aux alentours. Un sale goût de linceul vient lui gâter la bouche. Et elle se prend à craindre, un crapaud dans le ventre, que la réalité, soudain, ne disparaisse, tout comme les astres de William Blake.
Ted perçoit en elle ces forces négatives qui probablement l'inquiètent et aussi le fascinent, comme elles inquiètent et fascinent la plupart des humains qui disent les déplorer.
Pour l'instant, Ted sait les endormir.
Il détient ce pouvoir.

Il n'ignore pas que trois ans avant leur rencontre, Sylvia, qui vivait aux Etats Unis, est morte une première fois.
Sylvia mourra plusieurs fois dans sa vie. *Je n'ai que trente ans. / Et comme les chats je dois mourir neuf fois.*
Sa première mort, disais-je, survient en 53, après un séjour à New York où elle a été invitée à participer à la rédaction du magazine *Mademoiselle* pour avoir gagné un concours littéraire.
Ce séjour l'a meurtrie.
Se conformer à une écriture convenue comme on l'a exigé d'elle, supporter la frivolité de ses camarades qui se moquent éperdument des infamies du maccarthysme, observer leur fascination pour la réussite matérielle et leur désir d'être comme tout le monde, c'est-à-dire comme personne, ont constitué pour elle autant d'épreuves, autant de désillusions dont on retrouvera les traces dans *La Cloche de détresse.* Et l'indifférence cruelle qui a accueilli la condamnation des Rosenberg à la chaise électrique sans preuve de leur culpabilité l'a révoltée comme d'une injustice qui lui aurait été faite personnellement. *Le comble de la réaction émotionnelle aux Etats-Unis sera un grand bâillement démocratique, complaisant et banal, exprimant un ennui infini.*
A son retour, elle se sent à la fois épuisée et pleine de dégoût pour ce monde *pourri.* Et c'est un événement dérisoire qui va concentrer et comme exemplifier sa détresse. Elle apprend que sa candidature à un atelier de littérature auquel elle envisageait de participer durant l'été n'a pas été retenue. C'est une bagatelle. Et un chagrin de trop. Le désespoir

l'inonde. Il arrive que des chagrins contenus pendant des mois, pendant des années, parfois même pendant toute une vie, se mettent soudain, pour un rien, pour une peccadille, à déborder les digues patiemment élevées. Un soir d'août, Sylvia décide de mourir et, cachée dans la cave de la maison familiale, avale un flacon entier de somnifères. On croit à une fugue. On la cherche partout. On la découvre trois jours après, à demi morte, une blessure à la joue dont elle gardera toute sa vie la cicatrice. Internement psychiatrique. Comas insuliniques. Electrochocs. La violence psychiatrique ordinaire.

Trois ans ont passé depuis qu'elle a subi ce traitement abject qu'on réservait aux porcs des abattoirs avant qu'il ne fût infligé aux hommes. Trois ans qu'un Dieu l'a *saisie par la racine des cheveux*, et qu'elle a *flambé dans ses volts bleus comme un prophète du désert*. Trois ans qui semblent infiniment loin à l'épouse heureuse qu'elle est devenue, si heureuse, dit-elle, que même les anges d'avant la Chute pourraient l'envier.
Après le voyage espagnol, le couple fait une pause dans le Yorkshire chez les parents de Ted. Sylvia s'émerveille devant la beauté de ce pays qu'Emily Brontë ne sut jamais quitter. Elle dit qu'il est l'unique endroit au monde où la mer de son enfance ne lui fait pas défaut. Car la lande du Yorkshire est pour elle une mer.
Retour à Cambridge, au 55 Eltisley Avenue. Ted occupe à présent un poste de professeur. Sylvia partage son temps entre les cours à l'université, l'écri-

ture de poèmes et la dactylographie des textes de Ted qu'elle envoie à des revues quintessenciées car elle est convaincue du génie de son mari. Epouse, poète et secrétaire, elle veut être ces trois femmes à la fois. Ne renoncer à aucune. Jamais. Et la confiance que Ted lui accorde, son admiration et sa complicité lui font croire un moment que la chose est possible.

Mais l'équilibre des couples est fragile, et l'amour ne guérit d'aucun mal.
Ted obtient en février 57 le prix Harper du meilleur livre pour *Un faucon sous la pluie* et commence à se faire un nom dans le monde des lettres.
Sylvia, en revanche, a l'impression que l'écriture lui échappe, que sa grâce la quitte, qu'elle est infertile, sèche, l'esprit opaque et encombré de recettes de cuisine. Ne serait-elle bonne qu'à préparer des tourtes et du jarret de bœuf ? N'aurait-elle d'autre existence que celle de Mme Hughes, épouse de poète ? L'amour serait-il un féroce faucon lequel exigerait son sanglant sacrifice ? Et le désir d'écrire, qui est l'affaire des hommes, serait-il inconciliable avec une vie d'épouse qu'elle voudrait exemplaire ? Ce sentiment perpétuel d'avoir à se battre pour être une écrivaine à part entière et ne pas se laisser confiner dans des tâches subalternes, ce sentiment, disais-je, qui anticipe les grandes heures du féminisme, résonnera souvent dans la poésie de Plath, entre révolte et dérision.

Juin 57, départ du couple pour le Massachusetts où Sylvia a grandi. Sylvia a obtenu un poste d'assistante à Smith College, à Northampton, où elle fut, quelques années auparavant, une étudiante exceptionnellement brillante. Car Plath adolescente courait déjà après la perfection littéraire, laquelle n'existe pas, mais cela elle l'apprendrait plus tard. Car déjà elle s'efforçait de hisser ses exigences au plus haut, d'atteindre à ces choses savantes dont la poésie n'a que faire, mais cela aussi elle l'apprendrait plus tard. Car déjà elle s'évertuait à satisfaire une mère frottée d'art et de littérature dont elle n'était, disait-elle, qu'une extension, et à qui elle devait fournir des preuves de réussite en échange d'amour.

En dépit d'*une mémoire qui boite,* ce retour au pays natal réveille en son esprit son enfance océane et le souvenir d'un père adoré, biologiste de métier, Allemand d'origine, mi-dieu mi-ours, un père prodigue qui la comblait de friandises, l'emportait dans les vagues accrochée à son cou et la lançait en l'air jusqu'à ce qu'elle en perdît le souffle. Ce père meurt alors qu'elle a huit ans. A vingt ans elle voudra le *rejoindre, joindre, joindre.* Il ne cessera désormais de hanter ses écrits.
A sa mort, la fillette trahie, abandonnée, avait déclaré *Je ne parlerai plus jamais à Dieu.*
Dieu, désormais, ne sera plus jamais un recours.
La seule issue devant la perte, la seule consolation devant les deuils que lui infligera la vie, Sylvia Plath les trouvera dans l'écriture.

L'écriture sera, dit-elle, comme l'eau et le pain, ou quelque chose d'absolument essentiel.

Et c'est parce que l'écriture lui est quelque chose d'absolument essentiel que Sylvia ressent comme une corvée insupportable les cours qu'elle doit donner à Smith College. Le savoir tue la poésie, elle le savait sans le savoir, elle le vérifie chaque jour. L'enseignement l'assèche. Le milieu enseignant la désole. Les terreurs reviennent. La jalousie. Les pensées folles. Le sentiment de son néant. Les insomnies et leur eau noire. Son livre *Deux amants* est refusé. Ses poèmes aussi, puisque « la clique », comme elle désigne le petit groupe de ceux qui décident de la vie et de la mort des livres, ne publie encore et toujours que les amis, c'est ce qu'elle dit. Ces refus accroissent en elle le sentiment violent de son insuffisance. Et l'écart qui existe entre la rareté de ses écrits, leur difficulté à germer et à croître et l'aisance de Ted, son côté cool, ses forces, son charisme augmentent sa douleur de se croire inférieure à lui.

Sylvia oscille sans cesse entre une allégresse qu'elle semble surjouer comme pour s'en convaincre et un désespoir mortifère qui la terrasse des jours entiers. Il est des moments où elle se sent portée par un *somptueux sentiment de puissance*, où l'écriture vient miraculeusement, où les mots accourent et s'enchaînent sans effort. Alors elle marche sur l'eau et sa vie est divine. Elle est au top. Elle rit fort, parle haut, se montre exubérante, et arbore ce sourire

nunuche qu'on lui voit sur les photographies de l'époque, on s'y tromperait.
Puis soudain : la paralysie mentale, les certitudes qui s'effondrent, le sentiment de sa nullité, la torpeur, l'impuissance, le goût de cendres, l'impression d'être en exil du monde, de vivre sur une planète glacée, la conviction que son écriture n'est qu'un avatar de la vie, que la réalité qu'elle veut saisir recule sans cesse derrière la ligne d'horizon, et qu'un gouffre sépare la promesse de l'œuvre de son misérable accomplissement.
Alors tout, dit-elle, tourne autour de la mort, son esprit gît sous le plancher comme un cadavre répugnant, le miroir lui renvoie un visage de laideur, le monde entier se décolore, et ses poèmes lui apparaissent pâteux, fades, narcissiques, encombrés d'artifices, voire écœurants.

C'est après l'une de ces chutes au fond du gouffre que Sylvia Plath réalise qu'il y a en elle un *moi assassin* avec lequel elle devra, toute sa vie, composer.
Un moi assassin qui, comme pour Woolf, obéit au rythme des bêtes qui hibernent, qui peut sommeiller des mois, se tenir coi, disparaître, laisser perfidement le calme et la sérénité s'installer, puis resurgir soudain sans crier gare, avec son goût de mort, sa violence de mort et ses armes de mort.
Ce moi assassin, elle dit qu'elle veut à présent lui faire honte. Elle dit qu'elle veut lui faire entrer le nez dans la figure, et elle est polie.

Elle y parvient tant bien que mal durant l'année 1958.
Sa décision de quitter le collège Smith avec ses horaires, ses professeurs et leurs petites mesquineries, est définitivement prise. La mort, pour l'instant, se tait. Et elle s'enchante de découvrir l'œuvre de Robert Lowell, chef de file de la poésie dite confessionnelle que les anthologies définissent ainsi : mise à nu du vécu le plus intime, dans ses douleurs, ses excès, son désordre et ses débordements émotionnels. Autant de choses qui lui parlent, comme on dit, et qui vont la conduire sur son propre chemin.

En 1959, Sylvia Plath quitte enfin Smith et le milieu scolaire dans lequel elle étouffait pour s'installer avec Ted à Boston, une ville comme elle les aime, avec des gens, des lumières, des cafés, des théâtres, des artistes, des écrivains et des éditeurs. Deux de ses poèmes sont acceptés par le très saint *New Yorker*. Et une immense bouffée de joie terrasse un moment cette chose maligne qui gît dans sa poitrine et l'empêche de vivre.
Plath s'approche, à ce moment-là, de quelque chose dans l'écriture qui lui est absolument propre.
Exit les modèles poétiques qu'elle a dévotement étudiées.
Exit l'impersonnalité éliotienne et son élégante retenue, ou « la sensiblerie du genre gloire-et-célébrité-exotico-romantique ».
Exit la perfection poétique qui consiste à chasser le difforme, le faible, le laid dont sont faites nos pau-

vres vies. *La perfection est atroce, elle ne peut pas avoir d'enfants.* Ce qui l'amène à reprocher à Woolf, son admirée, de faire une œuvre singulièrement dépourvue de *pommes de terre et de saucisses.*

L'atrophie de l'expérience, elle en prend conscience à présent, est ce qui menace l'homme moderne et ses joujoux technologiques, et ce qui menace aussi une certaine poésie.
Désormais donc, son écriture sera faite de sa vie la plus familière, *Et moi sans rouge à lèvres, en pantoufles et robe d'intérieur,*
sa vie la plus triviale parfois, avec le pot-au-feu qui siffle et *l'odeur de graillon,*
sa vie la plus ancrée dans la matérialité des choses, *C'est pour nourrir/Les violons des langueurs que j'engloutis de l'œuf/De l'œuf et du poisson, mol régal,*
sa vie délivrée des habituelles pudeurs poétiques, avec ses splendeurs et son grotesque, avec son quotidien plein de mystère et d'inquiétude, avec les déchets d'elle-même, ses raclures d'âme et ses gouffres, avec son corps concret de femme, ses blessures et ses joies de femme, ses basses et ses hautes besognes de femmes,
avec l'ordinaire des jours, l'insomnie des nuits, et ces expériences limites où elle touche, terrifiée, au néant de la mort.
Le tout arrosé d'un jus de citron vert.

Bientôt Ted et Sylvia décident de regagner l'Europe. L'Amérique avec son conformisme, ses supermarchés et ses crottes de chiens les a profondément déçus. C'est l'été. Avant de s'embarquer pour l'Angleterre, ils prennent en voiture la route vers le nord, campent à Rock Lake dans l'Ontario, parcourent le Montana jusqu'au Wyoming, sillonnent le parc de Yellowstone, dans les Rocheuses, se dirigent vers la Californie où vit tante Frieda, traversent le grand désert Mojave, reprennent le voyage en direction du Tennessee pour être de retour à Boston à la fin du mois d'août. Ces noms si beaux de pays et l'expérience de ces espaces traversés entreront plus tard dans les mots d'un poème.

Ils arrivent à Yaddo en septembre, dans une résidence d'artistes située dans l'Etat de New York où ils sont invités jusqu'au mois de novembre. Le lieu est idéal. Mais lorsque l'écriture s'ajourne une fois encore, lorsqu'un épuisement indescriptible la saisit, lorsque la tutelle de Ted pèse comme une chape et que ces « A quoi penses-tu ? » et ces « Que fais-tu maintenant? » la cernent comme un filet qu'on jetterait sur une bête, il ne peut y avoir pour Plath de lieu idéal. (Rappelons que le concept magique de résilience n'a pas encore été inventé, pas plus que la méthode de luminothérapie, et que tous les déprimés sont condamnés à rester dans leur merde.) Il n'y a que des heures sombres envahies par des signes de mort, il n'y a que l'hiver, le froid, et le monde telle une page vide.
Mais bientôt, à Yaddo, Plath découvre qu'elle attend un enfant, et la joie qu'elle éprouve, la joie tant attendue, entre alors en bataille avec les vieux démons de la mélancolie.

Et le combat reprend une nouvelle fois, perdu d'avance mais obstiné, la Vie contre la Mort, la sempiternelle histoire.

Retour à Londres en 1960. Installation au 3, Chalcot Square, dans un appartement minuscule. Quelques mois après, paraît le premier recueil de Plath *Le Colosse et autres poèmes* qu'elle dédie à Ted, sa *belle et grande brute d'homme.* Le 1er avril 61, elle donne naissance à la petite Frieda.
Mais une fois encore, Plath se sent douloureusement écartelée entre le sentiment d'indépendance que lui confère la publication de son livre et son nouveau statut de mère qui la rive dans une position sociale dont les devoirs et les obligations la tiennent prisonnière.
Dans *The Observer,* le critique Al Alvarez écrit que la poésie de Plath dans *Le Colosse* échappe aux traditionnelles mièvreries de la poésie féminine, c'est un grand point, mais déplore qu'elle n'ait pas atteint une voix véritablement cohérente, c'est une déception.
A laquelle se greffe son désappointement de n'obtenir aucun prix littéraire et de ne trouver aucun éditeur aux USA ainsi qu'elle l'avait candidement espéré. Car il y a chez Plath le même désir enfantin de réussite que l'on trouve chez Woolf, la même recherche naïve d'éloges, le même besoin désespérant d'être reconnue et, devant la sévérité de la critique ou son indifférence, la même détresse et les mêmes larmes, la même peur de décevoir et le même sentiment d'être rien.

Cette année-là, Ted publie son deuxième livre de poèmes, *Lupercal*, lequel est couronné par le prix Somerset-Maugham. On le félicite, on l'admire, on le courtise, et Sylvia dit se réjouir de ce succès plus encore que s'il était le sien.
Mais un soir de fatigue, lasse de changer les couches de sa fille dans l'étroit logement, souffrant du sentiment de vivre hors d'elle-même, se croyant la plus seule des femmes au foyer, *une poupée vivante, vous pouvez vérifier. Ça coud, ça fait à manger*, blessée d'être tenue pour un écrivain de seconde zone tandis que son époux est fêté par les plus grands, elle met en pièces, en sanglotant, les poèmes de Ted. Est-il normal que Ted passe toujours avant elle ? Est-il normal qu'elle soit toujours reléguée dans son ombre ? Qu'elle fasse toujours, à ses côtés, tapisserie ?
Vivre et créer sont pour elle, décidément, des entreprises colossales.
Comment trouver un équilibre entre les enfants, les sonnets, l'amour et les casseroles sales ?
Il lui faudrait, dit-elle avec cette ironie dont elle est coutumière, il lui faudrait un Herr Professor pour y parvenir.

Au printemps 60, elle met tout son courage à terminer le texte auquel elle pense depuis longtemps, *La Cloche de détresse*, roman de la folie et du désespoir, dont l'héroïne Esther Greenwood, une jeune femme qui lui ressemble, vit déchirée entre sa volonté de s'adapter à une société affreusement conservatrice et son refus sauvage, son refus vital d'obtempérer à ses normes lorsqu'elles n'ont, à ses yeux, aucun sens.

En 1961, Sylvia et Ted achètent à Court Green, dans le Devon, un manoir qu'ils aménagent et embellissent. Sylvia, désormais, dispose d'un bureau qui donne sur un parc. Dans le jardin, les jonquilles fleurissent, le muguet jaillit au milieu des ronciers, et certains arbres sont empanachés d'un plumet d'un rouge écarlate.
Le bonheur est à portée de main. Elle le croit. Il est des jours où elle croit.
L'année d'après, Sylvia donne naissance à son deuxième enfant, Nicholas, achève enfin son roman *La Cloche de détresse,* écrit quelques poèmes qui vont bientôt paraître dans une anthologie des *Nouveaux poètes d'Angleterre et d'Amérique* et compose une pièce radiophonique, *Trois femmes,* où l'expérience de l'enfantement est décrite à la fois comme source de force, d'aliénation et de douleur, chose absolument nouvelle, semble-t-il, en littérature et dont personne encore ne mesure la portée.

C'est cette même année que Ted s'éprend d'Assia qui est belle et élégante, qui est poète elle aussi et partage la vie de leur ami le poète David Wevill.
Lorsqu'il apprend leur relation, David Wevill fait une tentative de suicide.
Sylvia, de désespoir, chasse Ted de la maison.

Kaputt les rêves roses.
Plath se retrouve seule avec ses deux enfants, dans un village perdu à quatre heures de Londres, privée

de ressources, abandonnée des éditeurs, *haine à ras bord.*
Elle sent tout le jour une chose sombre et malveillante qui bouge en elle et lui fait peur. Une chose qui la tue, qui la tue, qui la tue.
Elle ne dort plus. Des oiseaux gris hantent son pauvre cœur. Ses poumons sont deux sacs à poussière. Elle éprouve une fatigue verdâtre, écœurante, une fatigue centrale, une fatigue de mort.
Elle est trahie, elle est amère. Le mariage? *Des mensonges. Des mensonges et un chagrin.*
Elle dit Je suis un morceau de viande rouge.
Elle dit Je suis habitée par un cri.
Elle voudrait hurler mais elle ne le peut pas.
Elle voudrait pleurer mais elle ne le peut pas.

Le matin, très tôt, avant que les enfants s'éveillent, avant que la machine du quotidien s'enclenche, avant qu'elle doive *essuyer les assiettes avec ses cheveux,* elle écrit les poèmes qui composeront *Ariel.* Trente poèmes en quelques mois. Trente poèmes où elle fait d'une douleur à l'état pur une poésie à l'état pur. Avec la certitude absolue, cette fois, que ces trente poèmes seront les meilleurs de sa vie.
Elle les écrit à même sa blessure.
La poésie est un jet de sang
Dans une souffrance mortelle.
Pas de souffle pour moi,
Morte et sans un sou.
Elle les écrit, vite, avant que les mains du braconnier qui tendent les collets ne l'étranglent d'un coup.

Et nous étions, lui, moi, liés aussi –
Fils de fer tirés entre nous,
Piquets trop enfoncés pour pouvoir s'arracher,
Esprit comme un anneau
Coulissant soudain sur un long corps souple
Et la contraction m'étranglant d'un coup.

Elle les écrit en écoutant en elle le galop infatigable des mots. Des mots rouges, des mots crus, des mots violents, des mots terribles, *Haches/ qui cognent et font sonner le bois,/ Retentir les échos !*

Des mots intempestifs. Qui forcent la pensée à penser, si ce qu'on appelle pensée n'est pas cette chose réglée à l'avance et que l'on récite tous en chœur.

Certains jours, elle parvient à donner le change et assure, dans les lettres à sa mère, qu'elle est enfin maîtresse d'elle-même et délivrée de l'ascendant que Ted exerçait sur elle au point de l'abolir. En vérité, elle ment. En vérité, elle est *toute pétillante de* sédatifs et simule un enjouement qui ne trompe personne.

D'autres jours, elle se sent pétrifiée, le cœur changé en roc, minérale, froide, absente aux choses.

Mais avec, en dépit de tout, la force d'ironiser.

Mourir
Est un art, comme tout le reste.
Je m'y révèle exceptionnellement douée.

Car Sylvia Plath, dans ses poèmes, a l'ironie féroce, Carabosse, c'est une des armes qui lui restent. C'est chez elle ce que j'aime par-dessus tout.

Devant l'illusion de l'amour, elle sarcastise, elle raille, toutes griffes dehors, toutes griffes dedans.

Voulez-vous l'épouser ?
C'est garanti à vie.
Elle vous fermera les yeux le moment venu
Puis le chagrin la désintégrera.
Nous renouvelons nos stocks régulièrement.

Et cette ironie grinçante, désespérée, narquoise, elle ne peut s'empêcher de l'exercer contre toutes les impostures.

Contre l'imposture poétique et son lyrisme bon marché :

Le sang est un coucher de soleil. Je l'admire.
Je suis dedans jusqu'aux coudes, rouge et glapissant.
Il continue de suinter, inépuisablement.
Tellement magique !

Contre les grands sentiments, la prétendue bonté et ses écœurantes sucreries :

Le sucre guérit de tout, puisque la Bonté le dit
Le sucre est un fluide essentiel,
ses cristaux font un petit cataplasme.

Et contre l'usage impudique qu'elle fait elle-même de sa propre souffrance, c'est bien le moins. Le lecteur ne va quand même pas espérer avoir pour le même prix la description détaillée de ses blessures !

Pour regarder mes cicatrices, il faut payer.

Mais son ironie se voit démantelée par la violence d'un abandon dont la déflagration l'a réduite en morceaux.

Un abandon qui vient en raviver un autre, celui, ancien, du père, évoqué dans « Daddy », du père qui en mourant l'a trahie, du père effrayant, du père allemand et chargé, à ce titre, d'incarner les crimes atroces de l'Holocauste dont rien jamais ne pourra la consoler.

Je prenais tous les Allemands pour toi
Et je trouvais la langue obscène

« Daddy », poème écrit par Plath depuis le fond le plus absolu du désespoir, et l'un des plus terribles qu'il m'ait été donné de lire.

Car Plath, lorsqu'elle l'écrit, est en enfer.
Son âme se disloque et vole en éclats. Ses identités se dissolvent, *vieux jupons de putain*. Sa poitrine est un puits d'épouvante.
Elle est elle-même, elle le dit, une terreur.
Une terreur semblable à celles dont je fus, jeune interne en psychiatrie, le témoin bouleversé, et qui laissèrent en moi une empreinte à tout jamais ineffaçable. Une terreur qui m'apparut alors comme la pire des choses qui puissent arriver à un être, terreur de soi-même, terreur de son propre esprit supplicié, en charpie, pantelant, et terreur qu'il ne se pulvérise sous l'effet de l'atroce douleur d'être. Quel cerveau, me demandai-je alors, quel cœur pouvaient y résister ?
Que les plus beaux poèmes de Plath soient nés dans cet état d'extrême souffrance, dans cette tête piétinée, saccagée, à vif, ne cesse encore de m'interroger.
La douleur rendrait-elle les hommes plus profonds, comme le supposait Nietzsche ? Et les amènerait-elle à percevoir les choses avec une acuité décuplée ?
Je pense à cette phrase de Hölderlin dans *Hypérion*, livre cent fois lu : *Bellarmin ! Jamais je n'avais éprouvé*

avec autant de force la vérité de cette antique sentence du Destin : une félicité nouvelle est donnée au cœur qui persiste, qui endure le minuit du chagrin; et, comme le chant du rossignol dans l'obscurité, le concert du monde n'est perçu divinement que du fond de la douleur.
Et à cette autre de Proust dans *Le Temps retrouvé* :
On peut presque dire que les œuvres comme dans les puits artésiens montent d'autant plus haut que la souffrance a plus profondément creusé le cœur.

Mais comment vivre, comment, lorsqu'on habite une aussi crucifiante douleur?
Plath décide de quitter Devon pour s'installer à Londres, dans la maison où Yeats a vécu. Ça lui paraît de bon augure. Elle espère ainsi sortir un peu de son affreuse solitude et se rapprocher d'un milieu littéraire dont son isolement l'avait coupée. Mais son œuvre, à Londres comme ailleurs, se heurte à une indifférence qui la blesse et que le drame de la rupture vient sans doute aggraver.
La Cloche de détresse, qui paraît au mois de janvier 63, ne suscite qu'un intérêt médiocre.
Tout espoir semble mort.
Le monde *est en lambeaux.*
Le ciel est vide *où se collent les étoiles, stupides confettis.*
Les rues *sont des crevasses lézardées à pic, avec des trous pour se cacher.*
Les fondations du monde se fissurent. Comment s'y tenir debout?
Les objets muets sont navrants.
Le glas sonne, le glas sonne.
Dans l'appartement londonien, il fait froid. L'hiver 1963 est un hiver très froid. Les canalisations sont

gelées. Le courant est coupé. Plath en souffre. Elle a de la fièvre.
Elle consulte Le Dr Horder. Elle est à bout de forces. Elle sent la vie lentement la quitter.
Le cœur se ferme,
La mer reflue,
Les miroirs sont voilés.
La nuit du 11 février 1963, elle calfeutre l'encadrement de la porte de la cuisine avec du papier adhésif pour éviter que les enfants n'inhalent les vapeurs toxiques. Elle est calme. Elle ouvre le gaz.
C'est fini.

Ariel paraît en 1965, deux ans après sa mort. Et tous ceux qui avaient ignoré Sylvia Plath de son vivant s'accorderont à dire qu'*Ariel* est un chef-d'œuvre. Quant à *La Cloche de détresse,* réédité en 67 en Angleterre, puis en 71 aux USA, il deviendra un best-seller.
Depuis, des centaines de poèmes, de lettres, de nouvelles, des journaux ont été publiés, et les travaux critiques consacrés à son œuvre n'ont cessé de paraître.
En 1982 Sylvia Plath a obtenu le prix Pulitzer à titre posthume pour l'ensemble de son œuvre.
Il est à parier qu'elle aurait, de son vivant, trouvé une raillerie mordante pour commenter cette logique qui voulait qu'elle mourût, pour vivre enfin aux yeux de ses lecteurs.

Colette

Un jour – j'ai quinze ans – je lis ceci :
Monsieur,
Vous me demandez de venir passer une huitaine de jours chez vous, c'est-à-dire auprès de ma fille que j'adore. Vous qui vivez auprès d'elle, vous savez combien je la vois rarement, combien sa présence m'enchante, et je suis touchée que vous m'invitiez à venir la voir. Pourtant, je n'accepterai pas votre aimable invitation, du moins pas maintenant. Voici pourquoi : mon cactus rose va probablement fleurir.
Voilà ce qui s'appelle un début ! Insolent. Comme j'aime. Car il est insolent de déclarer, au nez de la morale familiale, que le bonheur à voir éclore une fleur prévaut sur le sacro-saint sentiment maternel. Je lis d'un trait *La Naissance du jour* qui s'ouvre par ces lignes. Puis j'avale *Sido*, puis *La Seconde*, puis *Le Pur et l'Impur*, puis *Mes apprentissages*, puis tout Colette.

Je relis aujourd'hui ce récit que je découvris à quinze ans, assoiffée que j'étais d'audaces impertinentes et prête à dévorer le monde par tous les bouts. Il conféra à mes désirs d'adolescente une ratification irrécusable et sans doute une forme d'encouragement. Mais il me révéla surtout qu'il existait un plaisir d'une nature particulière, un plaisir lié à la tournure gracieuse d'une phrase, à l'usage insolite d'un mot, au chic d'une expression dont je n'aurais jamais eu l'idée, et qui marqua le début d'une longue histoire entre moi et ce qu'on appelle le verbe.

Colette a cinquante-quatre ans lorsqu'elle commence à l'écrire.
C'est l'été.
Un beau temps de sa vie.
La bonace après bien des tempêtes.
Et la sérénité retrouvée auprès de Maurice Goudeket, son ami, son amant, son calme et égal compagnon.
Colette a baptisé sa maison de Saint-Tropez « La Treille Muscate ». La mer est à deux pas, près d'un chemin côtier. Le soir, on dîne sur la terrasse que recouvre une glycine dont les lianes s'enlacent. Et la nuit il arrive que l'on dorme sous les étoiles, à la fraîche.
Comme il est doux de vivre.
La chatte Chatte, et Souci la chienne bull, sont là.
Et aussi Bel-Gazou, sa fille.
Colette, vaillamment, aménage la maison qui ne dispose d'aucun confort, s'adonne avec entrain aux plaisirs de la terre, émonde, bine et sarcle son jardin riche de trois figuiers qui répandent une odeur de lait, se baigne tous les jours vers 11 heures

dans la mer des Salins, s'en va danser le soir au son d'un piano mécanique, ou faire une excursion dans l'un de ces villages aux murs rose fané qui ont l'art d'épouser la pointe des collines.

Maurice Goudeket l'entoure, la protège, cède à tous ses caprices et s'empresse auprès d'elle comme nul encore ne l'a fait. Il est aux petits soins, approuve sans condition tout ce qu'elle entreprend et effectue aux fins de lui complaire tout ce qui est en son humain pouvoir.

Il l'aime autant qu'il l'admire. Et Colette à ses côtés renaît.

Elle le dit : Je suis neuve.

Maurice Goudeket a trente-sept ans.

Cultivé, bien tourné, le nez long, des yeux profonds cernés de bistre, c'est ainsi que Colette le décrit, sous le nom de Vial, dans *La Naissance du jour.*

Maurice Goudeket a grandi auprès d'une mère irascible qui chapitrait ses domestiques au moindre bris de verre et punissait sévèrement ses enfants lorsqu'elle les surprenait en défaut d'être enfants. Le père, distant, taciturne, tristement engoncé dans des rites bourgeois, exigeait de ses fils, si d'aventure ils le croisaient dans la rue, qu'ils le saluassent en ôtant leur chapeau et se recouvrissent à son signe. Il ignorait qu'on pouvait parler aux enfants comme aux autres humains, leur témoigner de l'affection sans pour autant déchoir, partager avec eux des pensées, des plaisirs, la vie, tout simplement.

Pour échapper à ce climat familial, Maurice, adolescent, trouve refuge dans les livres et lit avec passion

Montaigne, Descartes, Spinoza, Kant, Hegel, Bergson et tous les ouvrages de philosophie qui lui tombent sous la main.

Jeune adulte, il se tourne comme son père vers les affaires, devient courtier en perles fines et s'enrichit rapidement. Dandy, généreux, désinvolte, il mène à Paris une vie de plaisirs, dépense son argent sans compter et additionne des conquêtes qui durent une nuit. Mais la guerre vient mettre un terme à cette existence légère. Et lorsqu'il revient de la Légion étrangère où il s'est engagé, il est un autre. Cette expérience qui a failli lui coûter la vie lui a appris ceci qu'il n'oubliera jamais : le bonheur c'est d'être vivant.

Et Colette est vivante.

Colette est la vie même.

Colette mange avec un appétit d'ogre, nage jusqu'à l'épuisement, respire l'air marin avec délectation, contemple sans se lasser la mer frisée comme un pelage, et jardine des heures, le dos brûlé par le soleil et sans écouter sa fatigue.

Colette a faim de tout. De chocolat, de couleurs, de parfums, de caresses, de mots. De tout.

Et sa faim est si grande qu'elle la tire du lit dès l'aube, la mettant aux aguets, chaque matin, face au jardin qui lentement s'éveille, tous sens écarquillés.

Son appétit de vivre s'est augmenté, depuis deux ans, du calme inespéré que Maurice Goudeket lui apporte. Je suis venu doucement m'asseoir près d'elle, dit Goudeket, avec le désir obstiné de lui démontrer que la constance n'est pas un vain mot.

Et la démonstration a réussi.

Colette, apaisée, retrouvée, renaissante, va écrire à ses côtés ce que je considère comme son plus beau livre.

On est donc en 1927.
L'heure est venue pour elle de se rejoindre.
L'heure est venue d'écrire son savoir aimer et, mieux encore, son *savoir décliner.*
La Naissance du jour est, de tous les livres que j'ai lus, celui qui dit avec le plus d'élégance un savoir décliner délivré de la peur, un savoir décliner que je souhaiterais atteindre (j'avoue en être loin) et qui est à la fois renoncement et renouveau.
Pour la narratrice de *La Naissance du jour,* ce savoir s'inaugure par le renoncement raisonné à l'amour.
Car l'amour, bienfaisant quand il naît, se révèle, s'il dure, toxique.
Ou bien il arrive en imitant la foudre et repart du même train en vous laissant comme une chiffe.
Mieux vaut donc renoncer à *sa catastrophe* qui vous affaiblit, qui vous broie ou vous consume jusqu'à vous anéantir, et vous livre, misérable, aux affres de l'abandon, de la jalousie et autres sordidités y relatives.
A cet amour, sublime à ses débuts mais navrant lorsqu'il meurt (vision on ne peut plus éloignée de celle d'Emily Brontë dans *Les Hauts de Hurlevent,* lu la même année, et dont le contraste vient m'enseigner qu'une même chose peut être regardée avec le même aplomb de dix façons différentes, ce qui, et je pèse mes mots, bouleverse ma vie), à cette grande chose qu'on chante dans les livres mais

dont elle n'a pas eu l'heur d'apprécier la grandeur, à l'amant bonimenteur qui insidieusement vous entortille puis vous annexe et vous écrase, Colette, parvenue à cette saison de sa vie, dit préférer l'ami, le frère, celui qui ne pourra jamais l'acculer au désespoir, celui auprès de qui elle pourra mener une douce, une longue, une sensuelle récréation, je la comprends.

Et elle invite cet ami à savourer le quotidien comme elle le fait elle-même, à s'attacher à ce qui est là, simplement, sous ses yeux, *regarde !*, à prêter attention à tout ce qui vit à l'air libre, aux géraniums et aux dahlias, aux tamaris mouillés de rosée, aux melons brodés du jardin, à la chienne vieillie, à la chatte fidèle prostrée sous le soleil et à toutes les bêtes qui volent, rampent et grincent, bref, à se tourner *vers tout ce qui se contemple, s'écoute, se palpe et se respire.*

Qui pourrait nous enlever cela ?

Le monde, pour peu que l'on se pose un instant, pour peu que l'on cultive le goût de l'observer et de le découvrir, se révèle prodigue de plaisirs sensuels et vous accorde une plénitude que nul amant, serait-il admirable, ne saurait vous donner.

Colette, qui tant de fois brûla d'amour et tant de fois écrivit ses brûlures, peut, à présent qu'elle se sent sereine, s'affranchir des passions trop humaines et élargir sa vision de l'amour à toutes les amours imaginables : celui des bêtes, des plantes, des arbres, des fruits, des légumes, de la mer, du ciel, que sais-je.

Et que la mort attende !

Il y a trop à faire, trop à aimer.
Il y a à accomplir ce que sa mère lui enseigna dans l'enfance et que cette lettre envoyée à son gendre (et citée au début) résume en quelques mots. Il y a à découvrir, encore, encore et encore. A être sage et tout le contraire de sage. Et à se mieux connaître pour se mieux accomplir.

Et bien que Colette se fâche rouge lorsqu'on la cherche toute vive entre les pages de ses livres, bien qu'elle affirme avec vigueur que toute littérature est mensonge, bien qu'elle joue sans cesse dans ses livres à s'exhiber pour disparaître, Colette, lourde de toute une vie, va puiser, pour écrire son récit, dans ses souvenirs entassés, les souvenirs des coups reçus et des coups portés, des humiliations et des gloires, des abdications consenties et des larmes révoltées, des guerres, des déchirements, des abandons et des chagrins dissimulés sous l'orgueil.
Mais elle va surtout élever un monument à Sido.

Car durant cet été 1927, Colette relit, émerveillée, les lettres de sa mère.
Seize ans ont passé depuis sa mort. Mais la *chère revenante* que cette lecture fait surgir se met soudain à vivre en elle.
Sido l'anticonformiste qui ne se laissa jamais prendre au piège de la morale laquelle fixait dans son village les règles du maintien. Sido qui n'avait qu'un principe et un seul : vivre selon l'amour, *la pire des outrecuidances.* Sido, étrangère à tout culte, étrangère à tout dogme. Sido la républicaine. Sido

l'athée qui lisait en cachette pendant la messe le théâtre de Corneille enveloppé dans un missel. Sido la prodigue qui, dans un pays avare et resserré, ouvrit sa maison villageoise aux chats errants et aux paumés. Sido qui accorda à ses enfants toutes les permissions, les laissant courir les chemins à leur guise, explorer sapinières et étangs, et sauter, jambes écorchées, les haies sauvages, tant elle était désireuse qu'ils découvrissent par eux-mêmes le goût impérieux d'être libre. Sido qui les exhorta à ne pas suivre le troupeau et à être absolument uniques, qui les ouvrit à l'amour de la nature, à ce que la nature offre de plus poignant et de plus beau, ce qui autorisa plus tard Colette à s'éprendre d'autres paysages que ceux de sa Puisaye natale.
Sido qui voua un véritable culte à ses enfants, les plus géniaux du monde, disait-elle, ses chefs-d'œuvre, disait-elle, ses joyaux tout en or, et qui les aima d'un amour sans mesure, mais d'un amour qui n'allait pas sans un désir passionné de possession.
Sido l'exclusive, qui laissa peu de place à son époux le Capitaine et usa de mille ruses pour garder ses petits sous sa coupe.
Toi c'est moi, écrivait-elle à Colette, longtemps après son départ de la maison.
C'était une déclaration d'amour. Et c'était un ordre.

Sido fut pour Colette une mère passionnément aimée autant que redoutée, une mère dont elle se sépara à vingt ans, déchirée et le cœur coupable,

mais de laquelle elle se tint, par la suite, prudemment écartée.
On sait que Colette lui écrivit souvent, se soucia constamment de sa santé, lui envoya régulièrement de l'argent, lui cacha ses soucis afin de lui épargner toute inquiétude. Mais on sait aussi qu'elle ne la visita que rarement en dépit de ses suppliques, comme si, pour devenir une femme, une adulte, le sujet d'elle-même, Colette n'avait eu d'autre recours que de se tenir loin de sa tutelle.
Il faudra à Colette de longues années, il lui faudra attendre d'avoir plus de cinquante ans et d'être devenue un écrivain célèbre pour donner enfin, dans ses livres, existence à Sido.
Mais ce temps d'incubation n'aura pas été vain.
Il aura permis la métamorphose.
Car la Sido qui apparaît dans *La Naissance du jour* n'est nullement la réelle Adèle Eugénie Sidonie Landoy telle qu'elle vécut sa vie terrestre à Saint-Sauveur en Puisaye, ni une figure de mère idéale, ni sa grossière contrefaçon, mais un personnage tenant des trois figures et les trahissant toutes, un personnage recréé de toutes pièces par Colette, ennobli, magnifié, façonné par ses soins et hissé à la hauteur d'un mythe, une Sido de littérature devenue, d'être écrite, plus légère à son cœur.

Contrairement à sa mère, son père lui fut de tout temps facile à porter. Peut-être parce que, face au bloc indéfectible que Sido formait avec ses enfants, il demeura toute sa vie un étranger dans sa famille. Mais ce retour au passé qu'amorce *La Naissance du jour* va conduire Colette à mieux aimer cet homme mal connu, d'une incorrigible gaieté et dont elle fut, fillette, la tendre complice.

Le capitaine des zouaves Jules Colette était le fils d'un officier de marine qui combattit en Algérie, en Crimée, en Italie, et perdit une jambe à la bataille de Melegnano. Lui qui rêvait d'un grand destin politique finit petit percepteur en Puisaye. Là, il tomba amoureux de Sido, mal mariée à un alcoolique (lequel eut la bonne idée de mourir d'une attaque d'apoplexie) et finit par épouser la veuve avec qui il eut trois enfants. A la fin de sa vie, il se lança dans l'action politique, se présenta aux élections du Conseil général de l'Yonne, défendit avec ardeur des idées républicaines, mais fut battu par un politicien réactionnaire bien plus madré que lui.

Ce père invalide, ce politicien raté, cet époux faible devant son épouse, ce gestionnaire raté qui finit par ruiner sa famille, s'essaya quelquefois au poème et écrivit des discours tout tremblants de lyrisme sur le maréchal Mac-Mahon, héros de la campagne d'Italie de 1859. Il rêvait d'écrire. Il n'y parvint jamais. Et l'on découvrit à sa mort une douzaine de volumes prêts à l'emploi, mais vierges de toute encre.

Le capitaine Colette, qui avait échoué dans son rêve, transmit à sa fille l'héritage immatériel d'une œuvre longuement poursuivie et jamais entreprise que celle-ci se ferait un jour un devoir d'accomplir.

Mais durant cet été 1927, à La Treille muscate, c'est d'abord sur l'héritage maternel, sur les vieilles lettres envoyées par Sido, que Colette se penche avec amour et s'appuie pour écrire.

Comme souvent, Colette travaille peu, travaille mal, déchire le matin les pages de la veille et avance avec la plus grande peine, un terrassier ne trimerait pas moins. Elle s'en plaint aux amis et déclare à qui veut l'entendre qu'elle n'a pas la vocation, qu'elle n'est pas faite pour écrire, mais alors pas du tout, qu'elle n'aime pas ça, qu'écrire exige une patience dont elle est dépourvue, que ces heures d'écriture sont pour elle ses travaux forcés, ni plus ni moins, et que ce qu'elle apprécie surtout, au terme d'une journée laborieuse, c'est d'aller se sustenter d'un pain bagnat : délicieuse combinaison de thon, d'anchois et de tomates relevés d'un filet d'huile d'olive, le tout fourré dans le cœur blanc d'un petit pain rond, elle en deviendrait poétique.

A cette besogne ingrate qu'est l'écriture, elle se vante de préférer, et de très loin, le jardinage, et si possible loin des hommes, car leur présence exténue les plantes, ça va de soi.

Sans doute entre-t-il une bonne part d'ironie dans ces déclarations. Sans doute éprouve-t-elle un dédain amusé devant ces fats comme on en connaît tous, qui, l'air artiste et le regard de circonstance, se prétendent appelés dès leur venue au monde et se lèvent la nuit pour composer des iambes.

Sa peine à écrire est toutefois réelle. Elle le dira publiquement lors de son discours devant l'Académie royale de Belgique en 1936 : *Plus circonspecte chaque jour devant mon travail, et plus incertaine que je le doive continuer, je ne me rassure que par ma crainte même.*

Mais bien qu'elle se sente mal assurée devant ce qui naît de sa plume, bien qu'elle renâcle, qu'elle rage, qu'elle doute, qu'elle s'impatiente, l'écriture lui est en quelque sorte, c'est elle qui le dit, un devoir, un devoir envers elle-même et envers ces deux parents fantasques qui lui confièrent, sans l'exprimer, une mission devenue son destin, un devoir qui la fait se pencher chaque jour sur ses feuilles pervenche avec une discipline et un acharnement qui impressionnent son entourage.

Relisant donc les vieilles lettres de Sido, Colette se met à *secouer les années comme un pommier ses fleurs,* et ses amours défuntes, un instant, refleurissent (verbe colettien s'il en est).

Celles-ci furent nombreuses et notoirement tapageuses.

Il y eut, bien sûr, Henry Gauthier-Villars, surnommé Willy, qui la poussa à écrire les *Claudine* qu'il signa de son nom et auxquels Colette reproche, dans *La Naissance du jour,* d'être peu dignes de durer.

Willy est journaliste, romancier, critique et l'un des personnages les plus influents du Tout-Paris. Il règne à la tête d'une fabrique littéraire dont Toulet, Veber, Carco et quelques autres sont les nègres et collaborateurs. Il incarne avec ses amis la littérature officielle, celle qui tient l'autre, la nouvelle qui se constitue autour de Valéry, Proust ou Gide, pour totalement inexistante.

Colette a vingt ans lorsque l'entreprenant Willy l'arrache à sa province, et l'épouse.

Nous sommes en 1893. C'est la Belle Epoque. Et toutes les excentricités sont permises.
Pierre Loti s'exhibe avec des chaussures à talons hauts, Robert de Montesquiou fait la folle avec arrogance, la belle Otero danse sur les tables en chantant *Tengo dos lunares*, Judith Gautier se rend à l'Opéra coiffée d'un chapeau sur lequel gît un lézard vivant, Jarry arbore des tenues de cycliste et s'entraîne à parler comme un automate, tandis qu'au Chat Noir, Aristide Bruant, entre deux couplets incendiaires, injurie les bourgeois devant un public qui s'esclaffe.
Un vent d'anarchie souffle dans les milieux artistes et il n'est pas d'écrivain qui ne participe à la revue libertaire que publie Zo d'Axa.
On s'encanaille.
On fréquente les beuglants.
On va la nuit dans les bars louches.
On aime l'impertinence et toutes les provocations.
Willy entraîne sa *Huronne* dans ce monde tout bouillonnant d'audaces. La Huronne, grisée, se laisse délicieusement glisser dans ce vertige, et son toupet, son verbe franc et ses façons rustiques séduisent tous ceux-là qui la croisent.
Mais sa griserie ne dure qu'un moment, car bientôt elle découvre les infidélités de Willy, et le chagrin. (L'adultère est alors le sport favori des puissants et se pratique, fort incommodément, dans les fiacres, ou dans les cabinets particuliers des restaurants.)
Le couple se sépare en 1905.
C'est l'occasion pour Colette de signer, pour la première fois, un livre sous son nom. Il s'agit de *Dialogue de bêtes*.

Puis commence pour elle une période tourmentée et néanmoins féconde puisqu'elle écrit *La Retraite sentimentale, La Vagabonde*, et *L'Envers du music-hall.* C'est sa période homo.
Missy est sa maîtresse.
Colette ne mentionne nullement cette liaison dans ce livre de la sagesse qu'aspire à être *La Naissance du jour.* Mais celle-ci demeure si indissociable de la légende colettienne qu'il serait criminel de ma part de ne pas en dire quelques mots.
Sophie Mathilde de Morny, fille du duc de Morny et nièce de Napoléon III, Missy pour les intimes, a un penchant marqué pour la provocation. Elle porte un pantalon (dont l'usage, interdit par la loi, nécessite l'autorisation des autorités compétentes), s'appuie sur une canne à pommeau d'or, fume le cigare avec ostentation et se fait appeler Monsieur le Marquis par tous ses domestiques qui pouffent dans son dos.
Colette s'éprend si passionnément du Marquis qu'elle porte à son cou un collier sur lequel on peut lire : *J'appartiens à Mme de Morny.* La chose fait scandale. Colette s'en réjouit.
Missy, tous en témoignent, donne tout et sans cesse. Elle comble Colette de présents, lui offre un manoir à Rozven, en Bretagne, et l'aide à se lancer dans une carrière de mime, puisque tel est son désir.
En 1906 (année, précisons-le, où le capitaine Dreyfus se voit enfin réhabilité), Colette s'exhibe sur la scène des Mathurins en tunique ultracourte, deux cornes dressées sur la tête. Elle joue un jeune

faune qui fascine une vierge et l'entraîne, lubrique et gambadant, dans la forêt obscure.

La pantomime fait un tabac.

Colette, tout à son enthousiasme, décide de prolonger l'expérience. Au Théâtre royal, dans une pièce de Guitry, elle apparaît en frac face à une jeune actrice qui joue les aventurières. Les deux femmes à la fin échangent le plus effronté des baisers. Nouveau scandale.

Loin de se démonter, Colette demande à son ami Robert de Montesquiou, lequel est à l'époque l'arbitre des élégances, de voler à son secours. Il écrit aussitôt son éloge dans *Le Figaro*. Et la cote de Colette remonte. Colette comprend, bien avant tout le monde, que le scandale paie.

En 1907, elle persuade Missy de jouer avec elle dans une pantomime sur la scène du Moulin-Rouge. Le spectacle, *Rêve d'Egypte*, finira pour Missy en cauchemar parisien, mais nous n'en sommes pas encore là.

Voici pour l'instant notre aristocrate sur scène, frondeuse autant qu'inquiète, travestie pour la circonstance en égyptologue inspiré dont la formule magique a le pouvoir de ressusciter les momies.

Colette est la momie tout embaumée que le savant archéologue défait de ses bandelettes et s'apprête à réanimer (sur le plan érotique principalement).

Lorsque les deux femmes, l'une en complet-veston et l'autre à demi nue, échangent debout un long baiser de gratitude, le public n'y tient plus : injures, hurlements, jets de fruits et d'objets de toutes sortes. Le tumulte est tel que la police fait évacuer la salle.

La presse unanime accuse les deux femmes de dépravation morale, de déchéance sexuelle et d'avilissement abject.

Le préfet de police de Paris, Louis Lépine, décide d'interdire la pièce.

Les ligues de vertu, créées à l'appel du sénateur Bérenger pour restaurer une morale que des cocottes foulent d'un pied léger, se déchaînent.

Colette est lancée.

Elle s'en enchante.

Le music-hall va devenir son vice.

Dans *La Chair* qu'elle joue quelque temps après dans un théâtre de Nice, Colette s'enhardit jusqu'à dévoiler sa poitrine. Le préfet des Alpes-Maritimes, jugeant que l'apparition de deux seins porte atteinte à la morale publique, menace d'interdire la pièce. Mais après quelques négociations, il concède à Colette, qui lui fait ses yeux de chatte et quelques minauderies, de n'en dévoiler qu'un seul.

Le sein unique fait un triomphe.

Commence alors une longue tournée à travers la France où l'apparition du sein déclenche chaque fois l'enthousiasme des foules. Cette expérience lui inspirera *La Vagabonde.*

A son retour, Colette apprend le suicide de sa demi-sœur Juliette. Mais elle est si absorbée par les séances photo où elle pose nue, sourire pointu, sur des peaux de tigre authentiques (car elle a tout compris du pouvoir des images), la parution des *Vrilles de la vigne,* ses multiples projets de spectacle, son divorce d'avec Willy et tous les marchandages qu'il implique, qu'elle ne trouve pas le temps d'être triste.

Entre Colette et Willy l'inimitié commence.
Willy, par voie de presse, accuse Colette qui, prétend-il, l'a ruiné, de rapacité et de mensonge.
Colette, usant des mêmes armes, riposte sur-le-champ que la collaboration de Willy aux *Claudine* ne dépassa pas celle d'un secrétaire, *soucieux surtout d'ajouter à mon texte quelques calembours, des gravelures et des rosseries destinées à satisfaire ses rancunes personnelles.*
La guerre est déclarée.
Elle sera féroce.

En 1912, Colette fait la connaissance de Henry Léon Robert baron de Jouvenel, directeur du *Matin.* Il est beau et *délicieusement amoral.* Il est riche. Il a du pouvoir et de l'entregent. Elle l'épouse en décembre et lui donne bientôt une fille, Colette, surnommée Bel-Gazou.
Mais la guerre éloigne les mariés l'un de l'autre, et Colette court rejoindre son mari sur le front chaque fois que cela lui est possible.
A son retour, Henry de Jouvenel se lance dans la politique et occupe des fonctions de sénateur, puis de ministre, dans le gouvernement Poincaré. Il confie à Colette la direction littéraire du *Matin,* mission qu'elle prend très au sérieux, mais qui ne l'amène pas pour autant à délaisser la littérature puisqu'elle écrit en parallèle *Le Voyage égoïste* et *La Maison de Claudine.*

En 1919, son beau-fils Bertrand, fils de Henry de Jouvenel et de Claire Boas, vient passer des vacances auprès d'elle. Il a seize ans et tous les charmes d'une adolescence finissante. Colette, qui a quarante ans, oublie son droit d'aînesse et en fait son amant. Leur amour incestueux durera cinq années.

Colette, est-il besoin de le préciser, n'est pas de celles qui n'ont aimé qu'un seul homme et fini leur vie dans *une ingénuité confite de vieille fille.*
Colette *s'est mariée, démariée, remariée* avec une constance remarquable, a connu des amours de passage, d'autres plus consistants, et ne s'est jamais contentée d'un seul sexe. Un, c'est si peu ! Mais à présent, finis les tumultes du cœur. Tirons de cette vie le vin, puisqu'il n'est vendange que d'automne. Et veillons à le boire avant qu'il ne soit tard.
Tel est le programme de la narratrice à laquelle Colette donne la voix dans *La Naissance du jour.* Une femme qui, parvenue à la paix après une vie qu'on suppose riche de désordres, lui ressemble comme une sœur, à ceci près qu'elle vit seule. Une femme *toute sage* et *relativement veuve,* logeant dans une maison brûlée par le soleil avec, pour compagnons parfaits, *ses bêtes amies* vers lesquelles vont ses tendresses inemployées. Une femme délivrée de cette sombre volupté qui vous fait chienne et vous amène indignement à accepter la laisse, le collier et la place aux pieds du maître.
Délestée donc du grand amour et de ses mornes prorogations, devenue enfin maîtresse d'elle-même, elle peut dire à présent :

A bas le mariage qui vous fait dépendre d'un autre et vous amène à mendier !
Liquidées les illusions sentimentales dans lesquelles on se vautre et qui, lorsqu'elles s'effondrent, vous laissent en charpie !
L'amour, sachez-le, ne mérite strictement aucune considération. Il est une manière d'occupation sans dignité, une banalité dans l'existence, un mélodrame d'un goût douteux. Pire, il vous fait déchoir.
Cette déclaration provoque en moi, qui dessine des cœurs sur les vitres et m'apprête à pleurer un jeune coq de village muni d'une motocyclette dont il a trafiqué le tuyau d'échappement pour multiplier par dix le volume sonore (audace que je trouve en tout point admirable), cette déclaration, disais-je, provoque en moi un véritable séisme et m'amène à reconsidérer la conception que je me faisais de l'amour dont la beauté, la noblesse et l'éternité me semblaient jusqu'ici incontestables, entretenue dans cette conviction par la lecture de romans à l'eau de rose, genre *L'Amant vénitien,* et la vision concomittante de quelques films lacrymogènes au cinéma du Moulin-Vieux. Désormais donc, lucide, désabusée, les yeux impitoyablement décillés (je rappelle que j'ai quinze ans et une expérience amoureuse égale à zéro), je me mets à regarder de haut et avec une condescendance affichée tous les rêves imbéciles et les symptômes de langueur auxquels sont sujettes mes pauvres camarades, position qui me vaut une petite notoriété dans le lycée où je suis pensionnaire.
L'amour est suspect, et ses larmes poisseuses.

Les jaloux, les trahis, les consumés, les éplorés, les pathétiques sont à éviter comme la peste.
Leur malheur est laid.
Et leur tristesse vaine.
Devant la tristesse, si tristesse il y a : pas pleurer, serrer les dents, retrousser les manches, et se ranger bravement du côté de la vie en redressant la tête comme Sido l'apprit à ses enfants, et ma mère à moi-même.
Du reste, la plus élémentaire des politesses veut que l'on pleure seul et sans se montrer. Leçon à jamais retenue.
Colette l'affirme avec force : aux pleurnicheries et langueurs *amoroso*-littéraires, elle préfère cent fois la sauvagerie muette des amours entre bêtes. Aux envols abstraits de l'esprit, les émois infinis de la chair. Aux projets lointains ou inatteignables, la saveur concrète du présent. *A la religion des prêtres, la religion du lapin sauté, du gigot à l'ail, de l'œuf mollet au vin rouge.*
Une matérialiste, vous dis-je. Doublée d'une païenne.
Une bête goulue, comme elle se désigne elle-même.
Une brute entêtée de plaisir et, qui plus est, s'en flatte.
On le lui a reproché.

On lui a reproché d'être sans horizon, de manquer d'esprit, de manquer de sacré, de manquer d'arrière-monde. D'être d'une sensualité obtuse, dépourvue de grandeur et vouée aux enfers (on lui refusera d'ailleurs les funérailles religieuses).

On lui a reproché de s'accommoder trop aisément d'un ordre bourgeois en le pimentant de quelques amours lesbiennes et de polissonneries sexuelles pour vieux messieurs libidineux.
On a dit qu'elle écrivait pour ces rombières sans morale qui mettent à leur caniche un manteau pour l'hiver.
Qu'elle était le symbole d'un certain esprit français, réactionnaire, un rien vulgaire, mélange de gouaille et d'élégance, de fausse transgression et d'égoïsme satisfait, le tout relevé par une inclination pour les arts et une aspiration au bonheur qui ose s'avouer tandis que la mode est au cynisme.
On a dit que son amour des bêtes dissimulait une égale indifférence à l'endroit des humains.
Qu'elle n'avait aucune conscience morale, aucun scrupule d'aucune sorte, qu'elle était d'un égoïsme monstrueux, d'un narcissisme invétéré, d'une *infernale méchanceté,* qu'elle n'avait de sentiment que pour quelques-uns (mais qui oserait prétendre le contraire ?).
Qu'elle avait le goût de dominer, un penchant prononcé pour les honneurs et pour le fric, l'habileté la plus consommée pour parvenir à ses fins et un insouci souverain de tout ce qui n'était pas elle.
On a dit qu'elle mit Willy sur la paille après l'avoir humilié dans ses romans, qu'elle n'eut aucune compassion pour Missy qui la couvrit de cadeaux fastueux avant de mourir dans la dèche, et qu'elle fut une mère très dure et très absente.
Voilà que je me surprends (me complais ?) à m'appesantir sur les travers de Colette dont j'ignorais presque tout il y a à peine un mois.

C'est que les témoins à charge dont j'ai lu les procès pour écrire ce texte m'ont prise au dépourvu, et leurs révélations m'ont fait, je l'avoue, quelque peu vaciller.

Est-ce leur influence qui m'amène aujourd'hui à regarder son récit d'un autre œil ?

Je suis troublée. Des réticences se lèvent en moi que j'étais loin d'imaginer avant d'entreprendre l'écriture de ces lignes. Et peu s'en faut que je renonce à mon projet.

D'autant qu'à la relire quarante années après, son côté popote m'insupporte, son éloge de l'ail et de la courgette me semble ridicule, son indifférence aux autres me déçoit, pour ne pas dire qu'elle me navre, et son écriture brodée comme un ouvrage de dame me paraît aujourd'hui inutilement emberlificotée.

Mais une vieille fidélité à ma jeunesse m'exhorte à ne pas juger sommairement celle qui, à quinze ans, m'enthousiasma comme aucune autre par son impertinence crâne, son invitation à jouir des choses de ce monde, et sa façon de les vanter avec des grâces d'écriture que je ne pensais pas concevables et qui me bluffèrent au point que je voulus les imiter.

Si ses livres ont le défaut des choses trop jolies, si trop d'étoiles y palpitent dans trop de ciels moirés, si leur côté vieille France et leur lyrisme potager découragent, ils témoignent d'une approbation à la vie, ici et maintenant, qui vient contrecarrer le méchant désenchantement auquel je suis régulièrement sujette.

Et cette gourmandise d'enfant dont ils se font l'écho tranche si violemment avec la noirceur des auteurs contemporains qui m'intéressent, peu portés, il faut bien le reconnaître, à l'ode au chou-fleur ou à la louange des arts ménagers, qu'elle agit sur moi, à petites doses, comme un antidote.
Gourmandise d'enfant, ai-je écrit, indémêlable chez Colette de sa rouerie, de ses ruses, de ses malices et de ses finasseries de vieille paysanne qui ne s'en laisse pas conter.

Car Colette est ambiguë, retorse, merveilleusement complexe, et femme de tous les paradoxes.
Mondaine à Paris, sauvage en Puisaye. Avide de succès et rêvant de retraite. Attirée par le luxe et goûtant les joies simples. Rosse envers quelques-uns, et tendre, follement tendre envers quelques autres. Hostile aux suffragettes tout en plaidant sans fin pour l'émancipation des femmes et une liberté sexuelle par-delà tout bien et tout mal. Eprise d'indépendance, tout en recherchant sans cesse la protection dont l'assura Sido dans son enfance et qu'elle trouvera, vaincue, dans son lien à Goudeket.
Jugeant la sauvagerie des bêtes moins monstrueuse au fond que l'amour sans amour qu'on lui brandit comme convenable, moins monstrueuse en tout cas que la vie de ce couple de voisins, marié par on ne sait quel hasard et d'une tristesse à hurler.
Quant à son écriture : trop maniérée peut-être, trop coquette, et d'une habileté dont elle finit par s'étourdir, mais sensuelle comme aucune autre,

musicale comme aucune autre, vouée à célébrer la beauté des plaisirs qu'on nomme, à la légère, physiques, et son émerveillement devant tout ce qui éclot.

Car Colette est l'écrivain des éclosions.
Elle le déclarera le soir de la première du *Blé en herbe* : *Plus que sur toute autre manifestation vitale, je me suis penchée toute mon existence sur les éclosions… Le monde m'est nouveau à mon réveil chaque matin et je ne cesserai d'éclore que pour cesser de vivre.*
Les éclosions sont pour elle autant de défis à une mort inévitable mais qu'elle veut sans larmes.
Toutes les éclosions, tous les commencements, tout ce qui est toujours nouveau et que n'endort nulle habitude, tout ce qui est dans l'ignorance de ce qui a déjà été joué. La naissance du jour chaque jour, prodige des prodiges. Les premières fois, les premiers venus, les premiers bourgeons. L'éclosion du cactus rose qui retient Sido, amoureusement, dans son jardin. L'arrivée de l'automne qu'elle appelle un début quand des grincheux le dénomment déclin. Le surgissement à tout instant de l'inconnu en soi et hors de soi sans quoi il ne vaut pas de vivre. Toutes les éclosions, et entre toutes, celles qui surgissent dans et par l'écriture et qui n'ont pas de fin *puisque écrire ne conduit qu'à écrire.*

Marina Tsvetaeva

Vive le roi ! crie Lucile dans son désespoir lorsqu'elle voit monter à l'échafaud son mari Camille Desmoulins
Se méprendrait, je crois, qui entendrait dans ce cri un hommage rendu à l'ancienne monarchie ; qui chercherait à y voir je ne sais quel résignement, je ne sais quelle abdication ; qui lui attribuerait un sens étroitement politique.
Car ce cri excède de très loin la politique.
Ce cri n'approuve rien, ne plaide rien, ne renonce à rien, ne s'oppose à rien, ne prend le contre-pied de rien, dit Paul Celan lorsqu'il vient à le commenter.
Il ne raconte rien. Il est sans destination. Pure contre-parole, dit-il. Pur refus. Pure insoumission.
Il ne cherche à convaincre personne, ni le contraire.
Il fuse d'on ne sait où. Ne s'explique pas. Ne se justifie pas.
Il met Lucile en danger de mourir.
Il est pur acte de liberté, d'une liberté conquise au péril de la vie.
Il est, pense Celan, la poésie même.

Je ne peux lire un seul vers de Tsvetaeva sans entendre ce cri, ce *hurlement vers les choses suprêmes,* pour le dire avec ses mots à elle.
Un cri de *ceux qui passent le mur,* jailli d'une douleur qui, loin d'abolir la parole, la porte jusqu'au plus haut, sous la forme du chant qu'on chante *avant d'aller à l'échafaud.*
Un cri d'une seule fois, étranger à tout souci de se perpétuer ou de se constituer en petit capital poétique. *Un poème lyrique c'est une seule fois, un jour, comme la mendicité ou le pillage.*
Que nul n'attend et dont nul n'a le besoin. Qui rompt conséquemment avec le règne de l'utile. *Seul ce dont personne n'a besoin a besoin de poésie,* écrit-elle dans son cahier.
Et qui se donne le projet exorbitant d'exprimer ce qui, infiniment, déborde l'être. *Mon Pasternak, peut-être deviendrai-je un jour pour de bon un grand poète, grâce à vous. C'est que je dois vous dire l'immesurable.*

Ce cri qui donne le frisson fut celui d'une écorchée vive qui affirma, avec une intransigeance folle, que là où il y avait la poésie il y avait le monde.
Une femme qui, jusqu'à sa dernière heure, se refusa de vivre et de hurler avec la meute des *loups régents.*
Qui ne céda jamais à l'accouplement effroyable du conformisme et de la terreur qui sévissaient alors dans sa Russie natale.
Et qui décida d'en finir lorsque la misère ajoutée à la déréliction et à une politique meurtrière étranglèrent définitivement sa parole poétique, indéfectiblement liée à sa capacité d'aimer.

Elle s'appelait Marina Tsvetaeva, et la poésie, disaient ses proches, sourdait d'elle et jaillissait comme l'eau vive des fontaines.
Une poésie de naissance et d'avant la naissance.
Qui procédait d'un sentiment d'exil fondamental, un sentiment qui lui faisait dire qu'elle était juive et que du reste tous les poètes étaient juifs.
Doublé d'un goût de la vérité dont elle ne pouvait ou ne voulait diluer la violence. *Et maintenant je vous avoue une de mes vilaines passions,* écrivit-elle à Pasternak : *tenter les gens (les éprouver) par une sincérité excessive, sans précédent... La tentation par la vérité. Qui la supportera ?*
Ils furent rares ceux qui la supportèrent, et là fut en partie son malheur.
Comment supporter une voix si farouchement libre qu'elle révélait sans coup férir la comédie de ceux qui n'habitaient pas véritablement leurs paroles? *Je ne vais nulle part parce que tout ça ne vaut rien. Mais quand par hasard je me trouve quelque part (quand on m'y traîne)... je fais capoter la réunion.*
Comment supporter une parole dont la seule profération mettait au jour les impostures et renversait les paravents, une parole qui se proposait *d'arracher les masques, même si la peau et la chair viennent avec ?*

On la disait intrépide. Ça l'amusait, elle qui, précisément, avait peur de tout, peur des automobiles, peur des maisons, peur des gens de lettres, peur du métro, peur des socialistes-révolutionnaires, *peur de tout ce qui est le jour – et de rien de ce qui est la nuit.*
Quand on me parle de mon grand courage – de mon renoncement – de mon intrépidité : que je le veuille ou non, et mieux vaut vouloir... je ris : en effet j'y suis vouée.

Marina Tsvetaeva y était vouée.
Elle disait n'être pour rien dans cette *haute destination, et* n'en tirait nulle vanité.
Elle disait qu'elle était condamnée aux mots (elle le disait de Pasternak : elle le savait pour être lui), condamnée à vouloir *l'impossible qui émane du domaine des mots.*
Elle disait qu'elle ne tenait pas plume, que c'était sa plume qui la tenait.
Qu'elle n'avait pas choisi la poésie comme on choisit un métier, un habit, un programme. On ne choisit pas le feu, la haute mer, la troupe des vents et l'engagement entier de tout l'être comme on choisit le reste.
D'ailleurs on ne commandait pas aux vers. On essayait seulement de se soumettre en tremblant au commandement qu'ils vous faisaient. *Hé oui mon ami,* écrivait-elle à Pasternak, *les vers c'est comme l'amour, c'est eux qui t'abandonnent et non pas toi.*
Et on tentait d'y répondre de la plus juste façon, c'est-à-dire en s'y consacrant entièrement, passionnément, et au détriment de tout. Ce qui lui fit écrire un jour sur le cahier dont elle ne se séparait pas et qui était *sa parcelle d'âme* ceci – qui aurait pu être sa devise : *Tout, l'écriture exceptée, n'est rien.*

Cette écriture, de son vivant, se heurta, à une surdité quasi totale et qui, d'une certaine façon, la tua. Toutes les lettres qu'elle envoya aux écrivains lors de son exil français demeurèrent sans réponse, et presque tous ses manuscrits furent refusés.
Elle en éprouva un désespérant sentiment d'exclusion. Et c'est, à n'en pas douter, ce sentiment, joint

à des conditions d'existence effroyables, qui la poussa à regagner, avec au cœur un terrible pressentiment, la Russie soviétique qu'elle avait fuie en 1920 et où elle finit par se pendre en 1941, deux ans après son retour.

Quelle malséance, quel crime Tsvetaeva avait-elle commis pour être aussi violemment tenue à l'écart, en France comme en Union soviétique ?
Dans *l'isoloir* de son cœur, elle tenta de trouver des raisons à cette mise au ban et, avec l'impitoyable lucidité qui était la sienne, désigna :
– Sa répulsion congénitale pour tout esprit de cercle qu'aucune société n'absout facilement. Elle le dit et le répéta cent fois : elle était absolument et jusqu'à la moelle hors de toute caste, de toute profession et de tout rang.
– La nature même de son œuvre, qu'elle qualifiait de *homérique,* à rebours de son temps qui n'aimait, disait-elle, *que ce qui est amorti.*
– Son dégoût des facilités poétiques que le grand nombre admire. *Toutes ces fleurs, et ces lettres, et ces intermèdes lyriques,* tranchait-elle, *ne valent pas une chemise réparée à temps.*
– Son dédain affiché devant la verbosité des esthètes, lesquels vénéraient l'art sans se soucier du monde et faisaient à peu de frais ostentation de leur douleur afin de mieux accréditer l'existence en eux d'une vie intérieure avec battements de cils et sanglots assortis, le malheur ça vous pose. (Pas d'esthétisation de la douleur chez Tsvetaeva, et rien de lacrymal. *Pas pleurer,* c'est l'injonction qu'elle se

faisait à elle-même. La douleur qui touchait au plus intime de son être ne pouvait en aucun cas être feinte, ni servir d'ornement, encore moins être comptabilisée, ou regardée comme poétiquement rentable. D'ailleurs elle ne l'aimait pas. On n'aime pas la douleur, on n'aime pas la maladie, disait-elle, mais une fois guéri, *on bénit la blessure qui nous a fait homme* et on tente d'en restituer à vif la trace.)

– Sa détestation des beaux esprits, leurs airs avantageux pour masquer leur veulerie et leur hâte à se déclarer révolutionnaires quand ils ne faisaient que révolutionner la couleur de leur lâcheté.

Boris, je n'aime pas l'intelligentsia, je ne me compte pas dans ses rangs, elle est toute en pince-nez. J'aime la noblesse et le peuple, la floraison et le tréfonds de la terre.

– Son farouche mépris des *églises triomphantes,* les politiques comme les littéraires, qu'elle défiait toujours à visage découvert, et son refus de composer de quelque manière que ce soit avec les porcs, je veux dire avec les pouvoirs régnants, leurs calculs, leurs ambitions et leurs surenchères partisanes.

– Son refus, par exemple, de répondre aux attentes des cercles parisiens de l'émigration russe, malades d'une nostalgie qui n'était pas la sienne.

Il m'est indifférent en quelle/ Langue être incomprise et de qui !/ Mal du pays ! Tocard, ce mal/ Démasqué il y a longtemps !

– Et son même refus d'adresser un compliment à l'ignoble Staline comme la plupart s'y pliaient.

J'ajouterai à ces raisons celles qu'elle-même n'aurait su dire : une modernité dans l'écriture qui ne pouvait, de son temps, que déconcerter, et une liberté

d'esprit que rien ni personne ne pouvait museler, et que tous, au fond, redoutaient.
On n'immobilisera pas le Vésuve
Par des vignes ! Avec du lin on
Ne tiendra pas un géant !

Car Tsvetaeva était ainsi faite qu'elle pouvait élever un tombeau à Maïakovski et à sa ferveur révolutionnaire, assurer qu'il lui était plus proche que tous les chantres du vieux monde, ce qui ne pouvait qu'offusquer les Russes en exil,
et dans le même temps, faire l'éloge imprudent de la Garde blanche, ou afficher son goût d'aristocrate pour un passé révolu – *les églises et les tzars, les bardes, les héros, les aigles et les vieillards* –, qui la désignait aux yeux des bolcheviks comme la pire ennemie de la Révolution.
Tsvetaeva était ainsi faite qu'elle pouvait écrire (non sans déchirement, mais le déchirement était sa condition) et l'un et l'autre de ces éloges.
Puisqu'elle n'était *ni nôtre, ni vôtre.*
Les miens sont ceux – et j'en suis – qui ne sont ni nôtres, ni vôtres, écrivait-elle aux Khodassevitch.
Ni nôtre, ni vôtre. Mais d'une autre espèce.
Ni l'écrivain prosoviétique que toute la presse de l'émigration russe, offusquée, s'accorda à montrer du doigt à partir de 1928, *ni la charmante enfant,* la *monarchiste romantique, la romantique monarchiste* qu'Ehrenbourg lui pardonnait d'être, comme on pardonne aux enfants leurs caprices et aux coquettes leur péché mignon.
Tsvetaeva était de cette poignée d'insensés pour qui vivre se confondait avec le refus farouche de prendre un quelconque parti, et ce aux fins de

protéger une liberté intérieure qui était leur précieux, leur unique, leur inestimable bien.
Elle était comme *Jeanne* (il y avait en elle, assurément, quelque chose de chevaleresque), qui n'appartenait, disait-elle, ni à l'Etat qui l'abandonna, ni à l'Eglise qui la brûla, et sur laquelle nul n'avait droit de propriété puisqu'elle *appartenait aux voix.*
Comme Jeanne, Tsvetaeva appartenait aux voix, et supportait comme un supplice qu'on la dise assujettie à telle ou telle Eglise.
Si à Moscou on me dit à la botte des Blancs, prévenait-elle Pasternak, *ne vous affligez pas. C'est ma croix. Que j'accepte. Avec vous, je suis en dehors.*

Tsvetaeva était en dehors.
Que puis-je faire, chanteuse et première née,
Dans un monde où le noir d'entre les noirs est gris !
Où l'on garde l'inspiration dans un thermos !
Avec cette démesure
Dans un monde de mesure ?
Tsvetaeva était hors du monde.
Elle le disait souvent : Je ne sais pas vivre. Vivre ne me plaît pas. Vivre me fait du mal. Je n'aime pas la vie terrestre. Je n'aime pas vivre avec les gens. *J'aime le ciel et les anges : là-haut, avec eux, je saurai bien m'y prendre.*
Et hors la politique politicienne, *cette boue,* devant laquelle elle éprouvait une véritable méfiance, pour ne pas dire une aversion.
Le monde n'est que murs./ Pour seule issue : la hache.
Tsvetaeva était ailleurs. Dans un ailleurs insituable que parfois elle appelait l'âme ou l'île, *l'île où nous sommes nés,* écrivait-elle à Rilke.

Et lorsque les événements de l'Histoire s'invitaient à sa table, lorsque les clameurs du jour faisaient brutalement irruption dans sa vie, elle les arrachait à leur cours, les tordait à ses fins, les pliait à sa voix, de sorte qu'ils acquissent une existence privée.
Tsvetaeva était ainsi faite qu'elle ne pouvait se soumettre à la réalité du monde, ni subir nulle subordination ou se prêter à des génuflexions obligatoires. De la même manière qu'elle ne pouvait se soumettre aux règles du paraître et aux artifices de la séduction. D'ailleurs, plaisantait-elle, elle ne plaisait qu'*aux vieux messieurs, aux femmes et aux chiens.*
Ce refus véhément de se laisser prendre aux pièges du social et de mimer la grimace des hommes était, pensait-elle, la condition absolue de son chant, et sa force.

Et tant que dans les rets
je ne me serai pas empêtrée – grimace des hommes,
je prendrai – la plus difficile des notes,
je chanterai – la plus ultime des vies.

Mais ce refus, elle en paya toute sa vie le prix.
Puisque n'appartenant à aucun camp, elle devint la pestiférée de tous.
Puisque au nom de la pureté, dont les moins purs, comme toujours, se prévalent, Tsvetaeva fut disgraciée, condamnée, ou pire : ignorée par ceux-là, innombrables, qu'un tête-à-tête avec une parole libre et singulière jetait dans l'épouvante.
Tsvetaeva, à la longue, finit par en concevoir une immense tristesse.

Et le cœur coule en roulant ses cailloux, écrivait-elle à Boris Pasternak en novembre 1927.
C'est que tout, à cette époque-là, lui était tristesse.
La France qu'elle n'aimait pas.
L'incompréhension totale dont son œuvre était l'objet.
Le souvenir de la Russie aimée d'où on l'avait extirpée, disait-elle, à quatre mains.
Cela ajouté à des conditions de vie extrêmement précaires.

La vie de Tsvetaeva avait commencé pourtant sous les meilleurs auspices, comme on disait alors.
Naissance le 26 septembre 1892 à Moscou. (Elle écrira plus tard : *Naître, qu'est-ce ? – Echouer sur un bas-fond.*)
Milieu de haute culture.
Père spécialiste des littératures européennes, docteur *honoris causa* de l'université de Bologne, professeur d'histoire de l'art et directeur du musée Roumiantsev.
Mère de sang princier, infiniment douée pour la musique, élève de Rubinstein et qui mourut lorsque Marina était âgée de treize ans.
Influences revendiquées *: celle de ma mère (la musique, la nature, les poèmes, l'Allemagne. Passion pour les juifs...). Plus cachée mais non moins influente, l'influence de mon père (la passion pour le travail, l'absence de carriérisme, la simplicité, l'enthousiasme).*
Apparence : un look de campagnarde, des manières parfaites et un visage ordinaire, ni beau ni laid, passe-partout.
Métier rêvé : *sténographe de l'être.*

A dix-huit ans, elle fit ses premières armes dans ce métier et imprima à ses frais un recueil de poèmes *Album du soir.* Le livre fut remarqué par Maximilian Volochine, poète et peintre russe, qui vint un jour sonner à sa porte pour lui dire qu'il exultait. Elle le fit entrer. Le pria de s'asseoir. Et sa conversation fut un vertige.
Volochine repartit le cœur embrasé.
En 1911, elle décida d'interrompre des études qui la faisaient bâiller et partit seule pour la Crimée, où elle fut hébergée par la mère de Volochine. Elle y rencontra Sergueï Iakovlevitch Efron dont les yeux étaient deux précipices.
Elle s'y jeta.
Sitôt après les deux jeunes gens se fiancèrent en secret et se marièrent le 27 janvier 1912. A cette occasion, Tsvetaeva, qui aimait les grandes phrases parce qu'elle avait, disait-elle, de grands sentiments, déclara qu'elle était son épouse devant l'éternité, pas moins.

Un an après, elle donna naissance à Ariadna, du nom de la fiancée de Dyonisos, le tueur de tristesse (elle écrira en 1924 une pièce de théâtre qui portera ce titre) et, en 1913, édita son deuxième recueil *La Lanterne magique,* éreinté par les mêmes qui avaient adoré le premier, ce qui est dans l'ordre des choses.

Sergueï, époux parfait, accepta tout de son épouse, passionnée, paradoxale, provocatrice, éprise d'absolu, *feu et roc*, encline à la bravade (car un esprit qui se laisse porter par le courant finit par se noyer, affirmait-elle) et toujours prête à soutenir avec superbe les causes indéfendables, c'est-à-dire perdues.

Mais en 1914, le comportement de Marina, qui s'était entichée de la poétesse Sonia Parnok et s'affichait en tout lieu avec elle pour le seul plaisir de choquer, le blessa profondément, et il s'engagea comme infirmier sur le front russe (l'Allemagne avait déclaré la guerre à la Russie le 1er août).

Marina, à la fois délivrée et coupable, écrivit le cycle de poèmes *L'Amie* et s'installa à Petrograd avec sa maîtresse Sonia. Avant de l'abandonner, celle-ci lui fit rencontrer Essenine et Mandelstam pour lequel elle éprouva une passion toute mentale.

L'année 1917 marqua le début d'un immense bouleversement historique. Et il me faut ici évoquer à grands traits les événements qui survinrent, tant ils entrèrent violemment dans la vie de Tsvetaeva pour en désordonner les plans et en briser les perspectives.

La révolution de Février commença l'air de rien. Il fit froid. On eut faim. Une grande usine de Petrograd annonça des licenciements. Des cortèges de femmes se formèrent pour réclamer du pain. Des ouvriers les rejoignirent. La colère se propagea.

Nicolas II, tsar de toutes les Russies, crut qu'il lui fallait en cette pénible occurrence se comporter en tsar. Il refusa d'entendre la colère montante qui grondait sous les fenêtres de son palais et mobilisa

ses troupes pour mater la révolte. Les troupes firent feu. Deux régiments mutins fraternisèrent avec les ouvriers. Et au soir du 26 février, ils furent des milliers à les rejoindre.
Des soviets se formèrent où ceux qui n'avaient jamais parlé, qui n'avaient jamais pensé pouvoir parler, se mirent à parler. Des meetings se multiplièrent. La fièvre gagna le peuple qui voulait vivre mieux. Nicolas II abdiqua au profit de son frère, le grand-duc Michel, lequel, devant le mécontentement de la foule, renonça à la couronne presque aussitôt. Et un gouvernement provisoire se mit en place.
En octobre, sur les ordres de Lénine, chef du petit groupe des bolcheviks, le peuple et la garnison de Petrograd investirent le palais d'Hiver, siège du gouvernement provisoire alors dirigé par Kerenski. Dans la nuit du 24 au 25 octobre, Lénine fit son coup d'Etat. L'ordre socialiste était né. Mais ce n'est pas le lieu d'en retracer, ici, l'histoire, et je ne retiendrai que deux événements qui concernent la vie de Tsvetaeva :
Sergueï Efron, son époux, s'engagea sans une hésitation dans les rangs de l'Armée blanche, restée fidèle au tsar.
Et alors que la passion révolutionnaire enfiévrait la plupart des intellectuels russes, Tsvetaeva, à contre-courant, toujours à contre-courant, écrivit des poèmes à la gloire des Blancs qu'elle réunit sous le titre *Le Camp des cygnes*.

Le 17 juillet 1918, le tsar et sa famille furent exécutés à Ekaterinbourg. La Terreur rouge fut décrétée qui appela à dénoncer tous les ennemis de classe, à les interner dans des camps et à fusiller tout individu impliqué dans une organisation blanche. La Tcheka excella dans la traque de ces derniers. Gregori Zinoviev, membre du Politburo, se prit à rêver d'anéantir les dix millions de Russes hostiles à la Révolution (il sera exécuté en 1936). Et Boukharine, dans un enthousiasme lyrique, déclara : nous devons tous être des tchékistes (il sera exécuté en 1930).

En dépit de l'horreur qui déjà se profilait, les poètes Maïakovski, Blok, Biely, Brioussov, Essenine et de nombreux autres continuèrent à s'exalter pour la révolution naissante, certains fanatiquement.

Mais Tsvetaeva, la Frondeuse, comme elle se désignait, persévéra dans sa défiance et pressentit que la révolution d'Octobre n'amènerait ni un surcroît de liberté ni le bonheur rêvé, que la mainmise de l'Etat sur toute chose, la restriction des libertés pour ne pas dire leur destruction et la terreur montante qu'imposait la Tcheka fondée par Feliks Dzerjinski, (pure incarnation, disait-elle, de sa haine) constituaient des menaces effroyables.

Voilà les murs de la Tcheka,/ Des aubades et fusillades.

L'année d'après, la Russie parapha à Brest-Litovsk une paix séparée avec l'Allemagne. Mais la continuation de la guerre civile entre Rouges et Blancs, ajoutée au dirigisme de Lénine, accéléra la ruine du pays. Tsvetaeva, qui avait connu jusque-là tout ce dont un être peut rêver, vécut, comme tant d'autres, dans un extrême dénuement, souffrit de voir dépérir ses deux filles, car une deuxième était née en avril 1917, et résolut de les placer dans un orphelinat, espérant qu'elles y seraient nourries. Ariadna y tomba gravement malade. Irina y mourut d'inanition.

En 1920, l'Armée rouge déferla sur la Crimée et les derniers navires embarquèrent les rescapés de l'Armée blanche. Marina, qui était toujours sans nouvelles de Sergueï, fit dans son cœur le vœu qu'il fût à bord de l'un d'eux.

En 1921, ce fut le début de la NEP : Nouvelle politique économique, nouvelle misère. La famine tua des millions de personnes. Marina Tsvetaeva grelotta de froid, se nourrit d'épluchures, s'habilla comme une mendiante mais n'en continua pas moins d'écrire des poèmes (*Verstes*) et des pièces de théâtre.
En juillet, elle reçut des nouvelles de son mari. Il était vivant. Il était à Prague. Et il l'attendait.
Marina n'eut plus qu'une idée : quitter son pays et rejoindre Sergueï, d'autant qu'elle était en délicatesse avec le régime et que ses écrits commençaient à susciter quelques agacements.
La première attaque publique vint du célèbre dramaturge Meyerhold, auteur du *Revizor*, alors tout dévoué à la cause soviétique, qui écrivit dans le *Journal du théâtre* que les questions posées par Tsvetaeva révélaient *une nature hostile à tout ce qui a été sacré par l'idée du Grand Octobre.*
Ironie de l'histoire : Meyerhold serait persécuté en 1928 pour sa pièce *Le Malheur d'avoir trop d'esprit,*

par ceux-là mêmes qui, devenus justiciers à leur tour et voulant se tailler la meilleure part au sein du nouvel ordre, crieraient à l'individualisme bourgeois et à l'esprit contre-révolutionnaire.
Cette même année, le poète Alexandre Blok, dont l'espoir en la révolution s'était renversé en une immense désillusion, demanda l'autorisation de quitter l'Union soviétique et mourut le 7 août, avant de l'avoir obtenue. *Le poète meurt parce qu'il ne peut plus respirer,* avait-il déclaré. Très affectée par sa mort, Marina entreprit le cycle de ses *Poèmes à Blok.*
Accusé de sympathies monarchistes, le poète Nikolaï Goumilev, l'ancien mari de la poétesse Akhmatova, fut fusillé le 24 août.
Il était temps pour Tsvetaeva de s'enfuir.

En mai 1922, elle était à Berlin avec sa fille Ariadna.
Elle écrivit de ce séjour : *Berlin m'a dépouillée de tout, j'en suis repartie totalement démunie, les os rompus et les tendons à vif. Les gens de lettres – une lèpre !*
Elle n'y resta que quelques mois.
Le temps d'écrire des poèmes qu'elle regroupa dans *Après la Russie,* premier livre du déracinement, dernier livre paru de son vivant :
Heure des brûlantes iniquités,
– et des demandes chuchotées.
Heure des fraternités sans terre.
Heure des orphelinages du monde.

Son orphelinage allait durer seize ans.

***

Le 14 juin 1922, alors qu'elle s'apprête à gagner la Tchécoslovaquie pour y rejoindre son mari, Tsvetaeva ouvre une lettre qui porte le cachet de Moscou. Ses mains tremblent. La lettre, signée Boris Pasternak, commence par ces mots :

Chère Marina Ivanovna,

Tout à l'heure, comme je lisais à mon frère votre « je sais, je mourrai au crépuscule, lequel des deux ? » [il s'agit d'un vers de *Verstes*], *ma voix a tremblé et une vague de sanglots longtemps contenus m'est montée à la gorge…*

Le 29 juin 1922, Tsvetaeva lui répond ceci :

Cher Boris Leonidovitch,

La tentation de l'heure nocturne et la première impulsion surmontée, je vous écris dans la blanche lucidité du jour. J'ai laissé votre lettre refroidir en moi, je l'ai laissée s'ensevelir dans les décombres de deux jours – qu'en subsistera-t-il ?…

Ces deux lettres marquent le début d'une des plus belles correspondances qu'il m'ait été donné de lire, si belle que je voudrais tout en retenir et tout en retranscrire.

Correspondance d'âme à âme, de rêve à rêve,

De mon rêve j'ai
Sauté dans le tien.

Lieu de la plus haute amitié.

D'une parole partagée entre deux êtres qui d'emblée se reconnaissent.

Où chacun, dans sa tentative de cerner l'art poétique de l'autre avec cette intuition de ceux-là qui

aiment et qui admirent, livre dans un même mouvement quelque chose de soi.
Où chacun devient le meilleur, le plus juste, le plus sensible lecteur de l'autre, dans une complicité telle qu'elle les fait égaux.
Où les deux, descendant *jusqu'aux grands fonds* d'eux-mêmes, finissent par se joindre et, amoureusement, s'entre-influencer.
Je parle d'une in-fluence qui serait comme un cours d'eau qui se jette dans un cours d'eau (Tsvetaeva à Pasternak).

Cette correspondance commencée en 1922 se continuera jusqu'en 1936.
A travers les calamités d'une époque où tout n'est *que rouille et rance,* et malgré la distance qui les sépare ou peut-être grâce à elle, ces deux écrivains vont s'écrire et écrire à quatre mains ce que je considère comme une œuvre littéraire à part entière, une œuvre qui échappe à tout classement dûment étiqueté : long poème d'amour, roman épistolaire, journal intime, témoignage sur le vif d'une période qui changea la couleur du monde, tout cela à la fois, et bien plus que cela.

De lettres en lettres, Tsvetaeva écrit à Pasternak qu'il est son égal, son adoré, son Boriouchka, son ami chéri, sa Russie, son Moscou, sa Muse, sa maison, son jumeau, son cœur, son absolu contemporain, qu'il lui est *nécessaire en tant que le mystérieux, en tant que l'inépuisable, en tant que le précipice, en tant que l'abîme,* qu'il est le seul, qu'elle écrit et qu'elle respire en lui, qu'elle est dans sa poitrine, qu'en dehors de lui elle n'a rien à trouver et rien à perdre, qu'elle se lève en lui et se couche en lui, qu'elle vit avec son âme, qu'il est son oxygène et son retour à elle-même, qu'ils sont de même essence et *condamnés l'un à l'autre.*

Pasternak lui répond qu'elle est sa sœur, qu'elle est descendue vers lui tout droit du ciel, qu'elle lui convient jusqu'aux dernières extrémités de l'âme, qu'elle est sienne, qu'elle l'a toujours été, que sa vie entière est à elle, qu'elle est *son amie toute d'or, sa merveilleuse, surnaturelle, fraternelle prédestination, son âme du matin toute fumante, Marina, mon martyre, ma pitié, Marina.*

Marina attend comme une folle chacune de ses lettres. Un seul mot de lui, et c'est le bonheur.

Lui la trouve géniale. Il voudrait retourner son âme devant elle. Il lui dit qu'elle est l'air de son cœur qu'il respire jour et nuit.

Elle lui confie son idée du poème. Qui n'est pas séparé de sa vie. Qui est engagement tout entier de son être, *un jeu vital, l'unique sérieux,* lui dit-elle encore. Qui n'est donc pas un supplément d'existence, mais l'existence même. Qui n'est pas, elle insiste, une petite promenade touristique dans l'autre monde, puis hop ! retour au confort, mais ce par quoi le monde se révèle à elle.

Pasternak lui expose la sienne : *J'aime plus que tout au monde (et c'est peut-être là mon unique amour) la vérité de la vie telle qu'elle se présente naturellement à l'instant où, sur le point d'être engloutie par les formes artistiques, elle passe le cratère du fourneau.*

Chacun devient le lecteur le plus accueillant de l'autre, le plus juste, le plus pertinent. Le seul.
La lecture de l'autre les brûle. C'est ce qu'ils disent.
Dans *Averse de lumière* qu'elle publie dès juillet 1922, Tsvetaeva fait l'éloge du recueil de Pasternak *Ma sœur la vie*, œuvre *ouverte au grand large, incandescence à blanc*, prodige poétique sans nulle virgule esthétisante (l'esthétisme est sa phobie) ni aucun de ces lieux communs poétiques qui lui font honte, une œuvre qui est *éternelle vaillance.*
Puis elle continue dans ses lettres à lui dire son admiration : *Vous avez une écriture splendide : vous talonnez la verste ! Et les verstes – et les crinières – et les patins du traîneau ! Et brusquement un claquement des rênes !*
De son côté, Pasternak perçoit comme nul autre la poésie de Tsvetaeva, son extraordinaire modernité, ses foudres, ses rythmes brisés qui sont toujours une protestation contre les cadences obligées du social, une écriture, dit-il, faite de la combinaison rare et surprenante d'un lyrisme démesuré et d'un réalisme furtif, une poésie *sans aucun attrape-touriste.*
Chacun s'abreuve à l'œuvre de l'autre.
Chacun inspire à l'autre ses plus beaux vers.
Chacun dédie à l'autre ses poèmes par une phrase faite pour demeurer inoubliable. *A mon frère dans la cinquième saison de l'année, dans le sixième sens et la quatrième dimension,* écrit Tsvetaeva sur la première page d'*Après la Russie.*
Les deux se confient leurs secrets, la limace rampante des jours, les feux de bois, les aubes, les pensées de la nuit et les arbres à qui ils parlent à voix basse de l'aimé qui est si loin.

Et ainsi pendant des années. Avec des hauts, des bas, des éloignements, des retours, des craintes (crainte pour elle que la rencontre réelle, qu'ils évoquent souvent, ne détruise leur amour), des relances, de tendres ruses, d'explosives jalousies, des attentes frustrées, insupportables, mais l'amitié toujours, l'entière confiance toujours, une sensibilité magnifique toujours de chacun aux écrits de l'autre.

Ce qui n'empêche nullement Tsvetaeva d'aimer d'un amour inentamable son mari Sergueï Efron et de s'enticher à intervalles très réguliers d'un homme ou d'une femme sur qui elle a jeté, étourdiment, son dévolu.
Je note ici, pour le seul plaisir d'écrire des patronymes étrangers, les noms de celles et ceux dont elle s'éprit quelques jours ou quelques semaines : Vladimir Nilender, Maximilian Volochine, Vassili Rozanov, Sonia Parnok, Ossip Mandelstam, Sofia Holliday Tikhone Tchouriline, Nikodime Ploutser-Sarn, Piotr Efron (frère de Sergueï), Vassili Milioti, Nikolaï Vysheslavtsev, Evgueni Lozman, Abraham Vichniak, Aleksandr Bakhrakh, Konstantin Rodzevitch, Mark Slonim, Nikolaï Gronsky, Vera Goutchkova, Salomeïa Andronikova-Halpern, Anatoli Steiger, Evgueni Taguer… souvent Marina varie.
Si ses amours sont innombrables, tels les démons, c'est qu'elle est elle-même, elle le dit, innombrable.
Amours qui sont courtes folies.
Littéralement coups de foudre.

Passions tout imaginaires *qu'elle enveloppe d'illusions et ceinture d'affabulations.*
Avalanches.
Qui ne durent que le temps de l'avalanche. *Tout hier, rien aujourd'hui.*
Aventures où elle se jette, se rue, à bride abattue, *Cheval ruant rompt l'attache.*
Grâce auxquelles, perdant toute mesure, elle s'exalte jusqu'au délire. Mais c'est un bien. Car *l'homme,* écrit-elle, *ne voit correctement le monde que dans la suprême exaltation.*
Tsvetaeva aime l'amour, elle le dit sur tous les tons.
Car il est le plus exact révélateur des *ravins,* des escarpements et des démesures de son âme.
Car la tension fiévreuse qu'il engendre et qui la rend *nerveuse comme un cheval* lui semble hautement propice au jaillissement du poème.
Car elle y vérifie sans cesse que la vie devient feu quand le cœur se déchire. Et elle sait d'intuition que le poème puise à ce feu.
Si l'amour la brûle, il la fait chanter.
Et elle ne vit que pour ce chant.
En amour, je n'ai su qu'une chose : souffrir comme une bête – et chanter.
Devant un tel excès (d'amour et de soif d'amour), l'adoré du moment, abasourdi, observe une prudente réserve. Puis recule. S'éloigne. Et s'excuse de n'être pas exactement celui qu'elle avait cru.
Alors Tsvetaeva, blessée, se replie sur ses fronts, et accuse, accable, ricane et ironise. Tout cela n'était donc que verbiage, comédie, syllabes sonnant faux !
L'amour, il vous semble que c'est –
Bavarder derrière une table ?

Son cœur, qui avait pris feu, retombe en cendres. Après l'envol sublime, voici venue l'heure piteuse du dépit.
Fini le marché de dupes !
Les trucs à bon marché, suffit !
Assez de rimes, rails, hôtels…
Elle décide alors d'en finir. Sans pleurs ni attendrissements.
L'âme qu'on arrache
Avec la peau ! Au trou !
Car la rupture vient satisfaire au fond son désir d'impossible et son goût des chimères, faiblesses dont elle a parfaitement conscience et qu'elle avoue sans fard à Boris Pasternak : Il *s'agit de ce pouvoir meurtrier qu'ont sur moi les apparences, les chimères, les peut-être, les humeurs et les fictions*, plus agissantes et despotiques que les réalités les plus tenaces.
Pour entrer en relation avec l'autre, son chemin préféré, c'est le rêve. Que Pasternak soit fixé. Et ne s'avise pas de lui mettre la réalité, cette horreur, sous le nez.

Ces imaginations qu'elle se fait à propos de l'un ou de l'autre, ces brusques incendies qui mettent en feu son âme, Tsvetaeva les tait à Pasternak, pour uniquement évoquer devant lui les poèmes que ces engouements lui inspirent, notamment le « Poème de la Montagne » (1923) et le « Poème de la fin » (1924), les deux admirables, les deux nés de sa passion pour Konstantin Rodzevitch en 1923 et de sa rupture avec lui l'année suivante.
Pasternak dit éprouver pour le « Poème de la fin » un émerveillement sans fin : *poésie qui est complètement et presque charnellement rythme; ruptures,*

entrelacs rythmiques, intrusions d'une idée à l'intérieur d'une autre, rythme satané se révoltant contre lui-même...
Tsvetaeva le lui accorde et complète le commentaire par ces quelques remarques :
Pour ce qui est du rythme, elle ne fait qu'obéir à la voix qui lui murmure à l'oreille : *un peu plus à gauche, un peu plus à droite, plus bas, plus vite, plus lentement, ralentir, couper.* C'est-à-dire la voix qui a le pouvoir de prendre et reprendre sans fin l'instant où la pensée bute et se rompt.
Elle ne fait qu'imprimer aux vers une vitesse qui est celle de son esprit, avec les ellipses, les fulgurances, les brutales syncopes lorsque l'émotion lui coupe le souffle, les verbes oubliés en route dans l'urgence du dire, les mots jetés à la va-vite, fébrilement et pour parer au plus pressé, dans l'exaltation d'un engagement dont elle ignore la destination mais qui porte en lui une force de vie si violente qu'elle fait sauter les coutures et se disjoindre le langage.
Et cette force de vie ne lui est donnée que par l'amour, rien d'autre, elle le dit, le redit.
D'où les passions qui s'enchaînent presque sans discontinuer, au grand dam de Sergueï qui, à la longue et par amour, se fait à ce régime.

Mais jamais ces passions successives, ces fables que sans cesse elle s'invente, ne l'empêchent de revenir vers Pasternak, son Pasternak, son Boris chéri, son frère. *En dehors de vous en Russie, je n'ai pas de maison, ma maison roulante – croulante – c'est vous,* lui écrit-elle.
Et leurs lettres suivent le courant de leurs vies que les événements de 17 ont poussées loin l'une de l'autre.

Dis-tance : des verstes, des milliers…
On nous a dis-persés, dé-liés,
Pour qu'on se tienne bien : trans-plantés
Sur la terre à deux extrémités.
Leurs vies comme *cartes jetées* dans le jeu féroce des guerres et des révolutions où, pour un qui gagne à la mise, des milliers perdent tout.
Leurs vies qui dessinent mieux qu'un savant traité d'histoire et de géographie le visage défiguré de ce début de siècle.

Durant son exil tchèque de 1922 à 1925, c'est à Pasternak que Tsvetaeva dit le puits, les oies, le ruisseau au bas de la pente, les deux pièces sillonnées de tuyaux, le gros poêle en fer comme en Russie, le travail commencé dans *Le Charmeur de rat,* et son sentiment profond d'être une apatride.
Plus de lieu sur terre.
Nous, ici : crever.

C'est à lui qu'elle dit, plus tard, sa détestation de *Paris la ville la plus terrifiante du monde et la plus improbable* (comment imaginer que ce Paris-là est le même que celui de Djuna Barnes qui y séjourne au même moment?), Paris où elle arrive en novembre 1925 avec son mari et ses deux enfants, Ariadna, dite Alia, et Gueorgui, dit Mour, né en février et qu'elle a failli appeler Boris, on en devine la raison.
C'est à lui qu'elle se plaint du quartier où ils vivent: *Un canal putride, un ciel invisible à cause des cheminées, suie continue et vacarme de même…*
C'est à lui qu'elle décrit la pièce étroite où ils s'entassent à quatre et où il lui est impossible

d'écrire : *Je vis très mal. Je songe avec amertume que le plus médiocre des feuilletonistes a une table pour écrire et deux heures de silence. Moi je n'ai pas cela... éternellement en société, au milieu des conversations, perpétuellement arrachée à mon cahier...*

Au printemps 1926, nouveau départ, nouvelle vie. *La vie est une gare,* lui avait-elle répondu dans l'autobiographie succincte qu'il lui avait demandé d'écrire en vue de composer un dictionnaire littéraire.

C'est désormais depuis Saint-Gilles-sur-Vie, en Vendée, que partent ses lettres pour lui.

C'est là qu'elle apprend la mer.

C'est là qu'elle reçoit, par son entremise, les *Elégies de Duino* de Rilke avec ses vers si beaux tracés sur la page de garde :

Nous nous touchons, comment ? Par des coups d'ailes,
Par les distances mêmes nous nous effleurons.
Un poète seul vit, et quelquefois
Vient qui le porte au-devant de qui le porta.

Tsvetaeva est éblouie. Et veut à son tour éblouir.

S'ensuit une correspondance entre Tsvetaeva, Rilke et Pasternak qui, à eux trois, forment pour moi la Poésie Personnifiée.

Cette correspondance cessera à la mort de Rilke le 30 décembre 1926 et sera publiée bien plus tard sous le titre *La Correspondance à trois.*

Je la relis souvent et m'émerveille chaque fois devant ces langues habitées par la grâce et qui n'ont qu'un défaut : celui de faire apparaître, par contraste, les autres, presque toutes les autres, lourdes, lourdes, lourdes, et mal fichues.

Forte de l'admiration que lui vouent ces deux immenses, ces deux indiscutés, ces rois, Tsvetaeva se risque alors à écrire un petit essai intitulé *Le Poète et la Critique.*
Mal lui en prend.
Le texte déclenche un séisme dans la presse émigrée qui supporte mal de se voir mise en cause et, comme il se doit, attaque.
Tsvetaeva ne peut qu'en souffrir. Mais l'amitié de Pasternak la console de presque tout. Il est sa défense. Sa protection. *Je suis avec toi,* lui écrit-elle, *jusqu'aux confins de la terre.* Elle se sent unie à lui par un lien indestructible, un lien fait du sentiment que chacun incarne aux yeux de l'autre *une supériorité vivante,* et que, miraculeusement, *ils coïncident.*
Parfois, cependant, la traverse la peur que Pasternak adhère au Parti communiste. *Tu comprends mon épouvante ? La seule chose qui pourrait nous séparer pour toujours.*

A dater de 1927, les lettres de Tsvetaeva partent de Meudon, *prison avec vue select sur Paris,* où elle vit dans une misère matérielle qui ne lui concède plus, dit-elle, que le droit de rêver.
Son cœur coule. Elle a mal. Sa douleur, lui écrit-elle, est devenue *un état et une demeure.* Douleur qui s'augmente, je le suppose, des premières déchirures, des premiers dissentiments qui entre elle et Pasternak se font jour.
Car Pasternak essaie de la convaincre que toute œuvre est inscrite dans l'Histoire, que le temps et le lieu sont des choses vivantes cent fois plus fortes

qu'eux, et qu'aucun écrivain au monde ne peut se soustraire à leur emprise (lui-même se laisse gagner par l'esprit positiviste qui règne en Union soviétique et éprouve le désir ambigu de s'engager davantage dans la mêlée).
Mais ses arguments restent sans prise sur Tsvetaeva, qui lui rétorque avec autant d'intransigeance que de désinvolture : en quoi l'Histoire est-elle ton affaire, toi qui es éternel ?
Elle dont l'Histoire eut la peau dit s'en soucier ni plus ni moins qu'elle ne le mérite : c'est-à-dire comme d'une guigne.
Elle ne croit qu'en l'éternel.
Elle ne croit qu'aux poèmes assez forts pour résister au temps et triompher des contingences.
Qui, dit-elle, s'aligne docilement sur les événements du monde, qui se plie à des finalités qui lui sont étrangères, qui sert d'animal domestique au maître du moment ne mérite en aucun cas le nom de poète. C'est un thème qu'elle ne cessera de reprendre dans ses notes, dans ses lettres et dans son essai *Le Poète et le Temps*.
Le poète ne peut en aucune manière servir le pouvoir. La seule personne qu'il puisse servir sur la terre est un poète plus grand que lui, note-t-elle dans un carnet.
C'est ce qu'elle fait.
Quant à servir le peuple, comme le voudraient les bolcheviks, cela lui paraît chose inconcevable.
Le poète est solitude. Il n'attend pas de ralliements. Mieux, il s'en effraie et s'en écarte.
Ce qui importe au poète, la seule chose, c'est d'écrire depuis son extrême rêve, avec tout l'irré-

ductible de sa voix, avec tout ce qu'il est seul à pouvoir dire, avec tout ce qu'il a appris de son propre corps-à-corps avec la vie, et dans un dédain total de la conjoncture sociale et des justiciers du moment, lesquels un jour, assure-t-elle, seront jugés.
D'ailleurs, le seul chemin qui vaille est celui, vertigineux, des âmes.
Pillarde d'âmes. Fut mon titre/ A moi aussi dès le berceau.
Et le seul dessein : celui *d'ouvrir grand les portes – toutes grandes – sur la nuit sombre.*
Désolée si les amateurs de réalité ne la suivent pas.
Elle n'a que faire des esprits trapus et n'écrira jamais pour la *majorité qui est bornée, idiote et qui a toujours tort.* Voici pour les bolcheviks.
Toute sa puissance de vie, Tsvetaeva la met donc à opposer, face au monde du dehors forcément hostile au poète, un refus sans concession.
Aller contre – voilà ma devise.
Un refus qui lui fait rejeter toute injonction extérieure à ses élans lyriques, avec la même violence qu'elle rejette le complot du quotidien, ce quotidien tout en angles avec ses lessives, ses besognes, ses servitudes et l'atroce pesanteur de ses lois.
Et tant pis si ce refus lui fait du tort.
Et tant pis si le monde ne laisse pas d'autre choix à ceux qui s'en détournent que la misère et la déréliction.
Elle sait confusément que ce *siècle honni, son malheur, son poison,* aura de toute façon, le dernier mot.
Elle le lui laisse.

Désormais, les lettres qu'elle envoie à Pasternak parlent toutes la langue de la tristesse.

Celle de la hantise de l'argent.
Celle du silence total qui entoure, ici comme ailleurs, sa création.
O Boris, Boris, comme je pense continuellement à toi, je me retourne physiquement vers toi pour te demander de l'aide. Tu ne sais pas ma solitude. J'ai terminé Le Poème de l'Air. Je lis aux uns, je lis aux autres – un silence absolu – pas une syllabe…
Celle de son isolement au sein du cercle des émigrés russes de Paris qui l'accusent d'être à la solde des bolcheviks depuis qu'elle a redit, dans la revue dirigée par son mari, son admiration pour Maïakovski venu faire une lecture à Paris.
Celle de sa mise au ban du milieu littéraire français.
Seule, passe encore, écrit-elle, *mais pauvre !*
Autant d'exclusions qui s'additionnent et l'enferment dans une solitude qui ressemble à l'hiver, qui ressemble à la mort, et qui font de son cœur une rivière stagnante.
Boris je me taris : non pas en tant que poète, mais en tant qu'être, en tant que source d'amour… Tsvetaeva ne peut plus écrire de poèmes s'il n'y a pas d'amour.
Car Tsvetaeva a besoin pour écrire d'entendre à son oreille battre le cœur d'un autre, besoin que ses poèmes soient lus par d'autres et qu'ils résonnent en d'autres.
Or il n'y a plus d'autre.
Il n'y a que Pasternak, mais un Pasternak dont elle a l'impression que lentement il s'éloigne, et se perd.

Leurs lettres s'espacent.
La situation de Tsvetaeva en France devient de plus en plus préoccupante.

Personne, écrit-elle à Pasternak, *n'a besoin de moi; personne n'a besoin de mon feu, qui n'est pas pour faire cuire la bouillie.*

Aucune de ses tentatives pour publier la traduction française qu'elle a faite elle-même de son poème « Le Gars » n'aboutit.

Quant aux courriers qu'elle envoie à Pierre Mac Orlan, Paul Valéry, André Gide, Jean Paulhan et quelques autres, ils demeurent, scandaleusement, sans réponse.

Sur le plan matériel, la situation est tout aussi désastreuse. *Nous sommes couverts de dettes,* écrit-elle à Pasternak, *à l'épicerie, chez le marchand de charbon, auprès de toutes nos connaissances, nous vivons dans la terreur du gaz et de l'électricité, et surtout du terme.*

Devant tant de difficultés, Sergueï, qui depuis quelque temps s'est rallié aux idées bolcheviks, envisage un retour en URSS. Les autorités soviétiques ont proposé de lui accorder un passeport à la condition qu'il entre au service de la police politique : le NKVD. Et il a accepté, dans l'espoir que cet engagement le rachèterait du péché d'avoir combattu au sein de la Garde blanche.

Il essaie de convaincre son épouse de rentrer au pays avec lui. Mais cette perspective la déchire : doit-elle rester en France où son œuvre n'intéresse personne et sans nul moyen de subsister ? Ou doit-elle, pour survivre, pour vivre l'horreur de survivre, doit-elle repartir à Moscou ?

Cette hypothèse, à peine évoquée, la saisit d'effroi. *J'y mourrai tout de suite, seule contre cent soixante millions,* écrit-elle comme une enfant à Pasternak.

Réduite à la plus grande pauvreté, enfermée dans un isolement qui lui enlève jusqu'au goût d'écrire, sa seule joie, sa seule raison d'être, Tsvetaeva ne sait plus où trouver encore le sens qui légitimera une vie vouée sans partage à la poésie.
Tout n'aura donc été que chimère?
Tant d'efforts accomplis en pure perte?
Tant de feux allumés pour rien?
Et tant de cris perdus?
A quoi sert tout mon travail de plus de vingt ans, toute ma vie?
A amuser les bien-portants qui s'en passent, écrit-elle à Pasternak avec un humour désespéré.
Celui-ci connaît en URSS une situation apparemment plus confortable. Apparemment.
Adoubé par Gorki, il est devenu l'un des membres de l'Union des écrivains et a rejoint peu à peu, mais sans se l'avouer tout à fait, la vision de ses confrères soviétiques qui voient dans le lyrisme le dernier symptôme de l'individualisme bourgeois.
C'est un coup de couteau dans le cœur de Tsvetaeva, et un coup d'autant plus cruel que Pasternak lui annonce dans une lettre qu'il a supprimé de son recueil *Poèmes* la dédicace (par trop compromettante, mais il ne le dit pas ainsi) qui lui était destinée.

De l'année 1934, seules ont été retrouvées les lettres de Pasternak où il se dit « épouvanté » par les difficultés de Marina.
Pasternak se garde d'y évoquer sa participation au premier Congrès des écrivains soviétiques qui s'est

tenu à Moscou au mois d'août, congrès qui a consacré le réalisme socialiste : « un art au service du peuple dont il doit donner une représentation véridique sans oublier l'objectif d'éducation et de rénovation idéologiques des travailleurs dans l'esprit du socialisme », je cite.

Comme dans un écho inversé, Tsvetaeva, cette année-là, revient dans l'un de ses poèmes sur le dédain qu'elle voue aux contraintes historiques qui font se plier la plupart. *De ce siècle, moi je n'ai cure,/ Ni d'un temps qui n'est pas le mien.*

Ce même dédain qui l'avait amenée à écrire, quelques mois auparavant, à Vera Bounine : *Je refuse d'être polie avec le monde contemporain. Je le jette purement et simplement en bas des escaliers.*

Tsvetaeva dédaigne le monde. Et le monde le lui rend bien.

Pire, il se venge.

Aucun éditeur n'accepte de publier le recueil de lettres qu'elle a gardées d'une correspondance avec Abraham Vichniak et réunies sous le titre *Neuf lettres avec une dixième retenue et une onzième reçue.* Un pur bijou.

Le 6 janvier 1934, elle écrit :

Je m'ouvre les veines : interminable,
Et ingarrotable, ma vie coule à flots
Approchez les soupières et les bols !

Au mois de juin 1935, Tsvetaeva et Pasternak vont s'éloigner définitivement l'un de l'autre, elle dans le chagrin et la révolte, lui pris dans des ambiguïtés politiques qui le conduiront, quelques années plus tard, à une impasse.

Un Congrès international pour la défense de la culture et la lutte contre le fascisme se tient à Paris, et Pasternak a accepté d'être désigné par Staline pour représenter la nouvelle littérature soviétique. Tsvetaeva, qui ne peut imaginer la violence des pressions morales que subissent les écrivains russes, qui ne peut imaginer le chantage effroyable auquel ils sont soumis (participer à la propagande bolchevik ou subir l'interdiction de publication, la déportation et la mort), Tsvetaeva, disais-je, ne peut voir, dans l'acceptation de Pasternak, qu'une forme impardonnable de capitulation.

Elle ne saura jamais ce qu'il en coûtera à celui-ci d'avoir fait, un moment, allégeance. Elle ne saura jamais qu'il le paiera, pendant près de vingt ans, de l'impossibilité presque totale de créer (la publication de *Docteur Jivago* n'aura lieu qu'en 1957).

Sur le moment, elle ne sait qu'une chose : c'est que le seul être au monde qui ait cru en elle, son *frère d'altitude*, son égal en vertu, son avenir, son espoir, sa montagne, celui qui l'a si souvent épaulée, apporte désormais sa caution à une politique infâme qui tient en laisse la littérature et, partant, la tue.

Dans une lettre datée de juillet, elle s'insurge, entre consternation et désespoir, contre une telle position : *Vous me parlez des masses, moi – des unités souffrantes. Si les masses ont le droit de s'affirmer – pourquoi donc l'unité n'aurait-elle ce droit ? Les petites bêtes ne mangent pas les grandes, n'est-ce pas, et je ne parle pas là de capitaux.*

Quelques lignes plus loin, animée du sentiment que Pasternak a dépassé le lyrisme de ses débuts par la seule façon dont à l'époque on dépassait les choses : c'est-à-dire en se reniant, c'est-à-dire en abjurant une part de lui-même, c'est-à-dire en célébrant ce dont il se foutait complètement, elle a ces mots désespérés : *dès que je me rappelle tes kolkhozes – je me mets à pleurer.*

Et ajoute ceci qui me serre le cœur : *J'ai honte de défendre devant toi le droit de la personne à la solitude, car tous ceux qui valent quelque chose étaient des solitaires, et moi – je suis le plus petit d'entre eux.*

Tsvetaeva et Pasternak ont cessé de se comprendre.

De s'aimer, je ne sais pas.

Le fil si fort qui les a liés pendant quinze ans s'est rompu.

Poursuivre la correspondance n'a pour eux plus de sens.

Cependant, Tsvetaeva ne peut s'empêcher, peu après, d'écrire une autre lettre à Pasternak, tant son comportement lui semble inadmissible. Et elle a cette phrase poignante : *Je sais que votre race est supérieure, et il me revient de dire, Boris, la main sur le cœur, O c'est moi le prolétaire, pas vous, non !*

Tsvetaeva s'est sentie mortellement trahie par celui qui non seulement s'est éloigné d'elle par des compromis qui la heurtent, mais par l'amour qu'il voue désormais à une autre. *Je comptais sur toi comme sur une montagne de pierre, or la montagne s'est avérée être la bosse d'un anaconda…*

La rupture est consommée.

Notre histoire est – terminée. (Je pense et j'espère que plus jamais je n'aurai mal à cause de toi.)

Elle aura mal encore à cause de lui, et lui enverra en 1936 une dernière lettre, tout aussi révoltée, tout aussi malheureuse que les deux précédentes. Apprenant que Pasternak a participé au Congrès des écrivains soviétiques, à Minsk, elle lui dit son accablement de le voir *se salir* en polémiquant avec un Bezymenski, poète médiocre aux ordres du régime, plutôt que de clamer haut et fort le nom de Hölderlin.

Seule la farce diffère de celle d'ici. Au concours des poètes du tout Paris, c'est la même chose, et je ressens moi la même chose : l'envie de me lever et de partir.

Et elle lui lance cette prophétie qui, en partie, se réalisera : *ils te dévoreront.*

En janvier, Pasternak avait fait paraître dans les *Izvestia* un éloge de Staline qualifié d'*aussi grand que la terre entière,* le nombre d'éloges de Staline étant exactement proportionnel au nombre de ses actions monstrueuses.

Sa dévoration avait, sans qu'il le sût vraiment, commencé.

Les années 37, 38, 39 voient Tsvetaeva sombrer dans une détresse qui, comme *le lierre, lui mange le cœur.*

Les cris ne viennent plus. Car il faut, pour crier, de la force.

La communauté des exilés russes lui tourne le dos.

Pas un écrivain français ne lui vient en aide.

Et elle a peur de revenir dans son pays natal, tout en se demandant si, à tout prendre, *l'opacité sifflante de la SSSR* (sigle de l'URSS) ne serait pas préférable à *la futilité française* qui la laisse mourir de solitude.

Avec ce qui lui reste d'énergie, elle écrit en 37, à l'occasion du centenaire de Pouchkine, *Mon Pouchkine*, et propose ses traductions à des maisons d'édition françaises dans l'espoir de gagner un peu d'argent pour subsister.
Mais on lui préfère une très charmante personne, très ignorante de Pouchkine mais amie d'un très puissant monsieur. La France restera toujours la France.
Tsvetaeva est écœurée.

Cette année-là, un événement grave va rendre encore plus dramatique son malheur français.
Un certain Reiss, ancien agent du NKVD soupçonné d'avoir trahi la confiance de Staline, est retrouvé assassiné, et l'enquête diligentée mène droit à la cellule française de Sergueï, chargée de le punir.
Craignant d'être arrêté, Sergueï s'enfuit aussitôt en URSS, laissant à leur sort Marina et Mour (Alia, proche de son père dont elle partage les opinions prosoviétiques, est déjà partie pour Moscou).
Marina, interrogée par la police, refuse de croire en la culpabilité de son mari et produit, pour le couvrir, de faux témoignages.
Alors, elle qui était déjà montrée du doigt par la communauté des exilés russes, devient la bête à abattre. La réprouvée. La renégate.
On ne la salue plus.
On se détourne d'elle comme d'une pestiférée.
Rester en France en supportant un tel opprobre relève pour elle du martyre

Elle se voit acculée au retour vers un pays qu'elle sait criminel et où les purges succèdent aux purges à un rythme qui fait frémir.
En attendant son départ, elle partage avec Mour une petite chambre dans un hôtel du boulevard Pasteur, et les rares visiteurs sont effrayés par le désordre qui y règne. Comme si désormais elle laissait sa vie aller à vau-l'eau.

Le 15 mars 1939, les troupes allemandes occupent la Bohême et la Moravie sans rencontrer de résistance, tandis que les chancelleries occidentales restent honteusement muettes.
Tsvetaeva, bouleversée, écrit le jour même ce poème qu'il faut lire en entier :

MARS

Larmes d'amour, fureur !
d'elle même – jaillissant !
Et la Bohême en pleurs !
Et l'Espagne dans le sang.

Noire montagne qui étend
Son ombre au monde entier !
Il est temps – grand temps –
De rendre mon billet.

Refus d'être. De suivre.
Asile des non-gens :
Je refuse de vivre
Avec les loups régents.

Je refuse – de hurler
Avec les requins des plaines –
Non ! – glisser : je refuse –
Le long des dos en chaîne.

Oreilles obstruées,
Et yeux qui voient confus,
A ton monde insensé
Je ne dis que : refus.

L'écrivain Pilniak, arrêté pour antisoviétisme, est fusillé le 21 avril 1939. Deux mois plus tard, Tsvetaeva reçoit des autorités soviétiques l'ordre de quitter immédiatement la France. Elle part de Paris le 12 juin, embarque au Havre avec Mour sur le *Marina Oulianova* qui convoie des républicains espagnols, et débarque à Leningrad une semaine après.

*
* *

A Leningrad, Tsvetaeva découvre une ville dont les murs sont couverts de portraits de Staline : le Phare, le Sauveur du pays, le Dieu vivant, le Rénovateur du genre humain..., tous adornés de faucilles et autres instruments tranchants (qui ne sont pas que symboliques), et où les quelques personnes qu'elle questionne frémissent de peur à l'idée d'être dénoncées au NKVD.
Le peuple soviétique est devenu un peuple terrifié. Tsvetaeva sait à présent qu'il lui sera impossible de vivre dans ce pays.

Ce matin, en me réveillant, j'ai pensé que mes années étaient – comptées.
Le 19 juin, elle arrive avec Mour à Bolchevo, aux environs de Moscou, où l'attend Sergueï dans un appartement communautaire destiné aux agents du NKVD. La vie commune est difficile. La maison inconfortable. Et Marina de plus en plus triste. Tous ses livres et ses manuscrits sont restés bloqués à la douane (où ils resteront plus d'un an) et ils lui manquent affreusement. Parfois, elle récite un poème aux personnes présentes, comme si, en prononçant chaque vers, elle répondait de toute sa vie. Pasternak, qui lui reste attaché en dépit de leurs différends, lui fournit quelques travaux de traduction.
Dans la nuit du 27 août, sa fille Alia est arrêtée.
On en ignore la cause.
Enfermée dans une cellule, privée de sommeil, soumise à des simulacres d'exécution, Alia finit par avouer, pour que cessent ses tourments, le mensonge qu'on veut lui entendre dire, et signe la déclaration qui suit : *Ne voulant rien cacher à l'instruction, je dois l'informer que mon père Efron Serguei Iakovlevitch et moi-même, nous sommes des agents des services secrets français.*
Sergueï est arrêté le 10 octobre.
Confronté aux aveux d'Alia et des agents qu'il a recrutés et qui maintenant l'accablent, Sergueï reste muet.
Et lorsqu'on lui demande de charger son épouse, il s'y refuse avec la dernière volonté.
Devant cette absence de coopération, on le soumet à de telles tortures qu'il doit être conduit dans un

hôpital, puis interné à demi fou dans un service psychiatrique.
Il sera fusillé le 16 octobre 1941, un mois et demi après le suicide de Tsvetaeva.
Dans les jours qui suivent les deux arrestations, Tsvetaeva court, affolée, d'un bureau à l'autre pour savoir où sa fille et son mari sont détenus et quand aura lieu leur jugement.
Pendant quelques semaines on lui donne des nouvelles.
Puis, plus rien.

1940. Tsvetaeva se trouve dans un tel désarroi que l'Union des écrivains lui propose un séjour dans une maison de repos à Golitsyno. Elle note sur un carnet : *Il y a de moins en moins de moi en ce monde, comme un troupeau qui laisserait un peu de laine à chaque haie. Il ne me reste que mon fondamental refus.*
Mais, ne pouvant continuer à payer la pension, elle doit chercher un autre logement et finit par se réfugier avec Mour dans le minuscule appartement de la sœur de Sergueï, à Moscou.
Sa vie est atroce. Une *non-vie.* C'est ce qu'elle écrit.
Un jour pourtant, lueur d'espoir, elle reçoit une proposition de publication des éditions d'Etat.
Pour faire montre de sa bonne volonté, elle « obéit » à la prérogative et leur fait parvenir un choix de ses poèmes, sans chercher nullement, elle est incorrigible, sans chercher nullement à les modifier pour qu'ils conviennent mieux à l'idéologie régnante.
A partir d'un exemplaire retrouvé d'entre les décombres d'une décharge, le recueil de ces poèmes a pu être reconstitué.

Il paraît pour la première fois en France au moment où je rédige ces lignes sous le titre *Mon dernier livre 1940*, présenté par Véronique Lossky. Lorsque Tsvetaeva l'envoie aux autorités décideuses, elle a la quasi-certitude qu'il va être refusé. Il l'est effectivement par un certain Zelinski, l'un des représentants les plus influents de la littérature officielle, lequel doit déterminer si l'œuvre est bien dans la ligne du Parti ou si, dangereusement, elle s'en écarte.
Son rapport est désastreux : hostilité de l'auteur envers l'URSS, vers exécrables diamétralement opposés à l'esthétique communiste et aussi incompréhensibles que s'ils étaient venus d'un autre monde. En conclusion : un tableau clinique éloquent de la dégénérescence de l'âme humaine. Impubliable.
Tsvetaeva note dans son cahier : *Personne ne remarque, personne ne sait, depuis près d'un an déjà, que je cherche un crochet pour me pendre... Tout est laid et effrayant.*

1941. Le désespoir frappe si fort Tsvetaeva qu'elle écrit en février :
Il est temps
D'ôter l'ambre,
De changer les mots
Et d'éteindre la lampe,
Au-dessus de ma porte

Le 12 avril, Alia lui fait savoir qu'elle est en vie.

Le 22 juin, la guerre est déclarée entre l'URSS et l'Allemagne.
A partir du 24 juillet, Moscou est bombardée nuit et jour. Une panique indescriptible s'empare de la ville. Le gouvernement organise l'évacuation des civils.
Marina et Mour embarquent le 8 août dans les cales de *L'Alexandre Pirogov* en même temps qu'un groupe d'écrivains. Ils arrivent à Tchistopol, une bourgade perdue au fin fond de la République tatare. Rues boueuses. Maisons de bois privées de tout confort. Et hostilité sourde des habitants devant ces bourgeois qui s'invitent sur leurs terres et ne savent rien faire de leurs dix doigts.
Dès son débarquement, Tsvetaeva est convoquée par les agents du NKVD qui contrôlent tous les déplacements des évacués. La brutalité de ces derniers la laisse anéantie.
Ne trouvant nul endroit où la loger, ils la font repartir avec Mour vers la ville d'Elabouga où tous deux arrivent le 18 août.
Le chagrin et l'humiliation qu'éprouve Tsvetaeva en arrivant dans cet endroit du bout du monde lui semblent plus terribles encore et plus irrémédiables que tous ceux qu'elle a traversés.
Le 24 août, elle revient à Tchistopol dans l'espoir de trouver du travail.
Le 25, elle présente la requête suivante au soviet local de l'Union des écrivains (le Litfond) : *Je vous prie de m'accorder un emploi de plongeuse à la nouvelle cantine du Litfond.*
Le 26, elle repart pour Elabouga, la direction du Litfond ayant hésité à engager l'épouse d'un ennemi du peuple.

Elle arrive le 28 à Elabouga.
L'été tire à sa fin. Elle veut mourir. Elle le dit à Mour. Mour pense qu'elle a raison de vouloir mourir.
Le 31, elle est seule dans sa chambre. Les paysans qui l'hébergent sont absents et Mour est parti travailler.
C'est dimanche. C'est un dimanche désespérant. C'est le 31 août 1941 à Elabouga, au bout du bout monde. C'est une désolation absolue.
Il fait beau derrière les fenêtres. Le ciel est superbe. C'est ainsi que je l'imagine. Mais c'est une désolation absolue.
Tsvetaeva fait de ses mains un nœud coulant.
Avant de se pendre au crochet du plafond, elle écrit deux lettres destinées à des personnes susceptibles d'aider Mour, et un billet à ce dernier où elle lui demande pardon et lui dit tout l'amour qu'elle porte aux siens.
Sur le certificat de décès, le secrétaire de mairie note à la rubrique profession : évacuée.
Aujourd'hui, tous ses livres mentionnent : Tsvetaeva, l'un des plus grands écrivains russes du XXe siècle.

Virginia Woolf

Comment comprendre le cœur humain ? Le jour où meurt sa mère, Virginia Woolf voit le Dr Seton s'éloigner, les mains dans le dos, comme pour dire c'est fini. Alors elle se surprend à rire devant l'infirmière en larmes, et couvre de ses mains son visage en feignant de pleurer. En elle : rien. Nulle émotion. Juste la volonté de donner le change.
Comment comprendre cette insensibilité devant la mort d'un être cher ?

A chaque deuil, Virginia Woolf constate en elle ce rien, ce défaut de son être, cette *intermittence* du cœur qu'elle vit comme une faute.
Le jour même de la disparition de Thoby, son frère aîné, elle écrit une lettre à Violet Dickinson dans laquelle elle ne fait aucune mention de son décès.
Et à la mort de Lytton Stratchey, son ami de jeunesse, elle dit n'éprouver sur l'instant qu'inertie et engourdissement.
Ce n'est qu'après, longtemps après, que *l'armée des émotions commence son siège.* Jusqu'à, parfois, l'anéantir.

Ce comportement anachronique, décalé, inexplicable, sera souvent celui des personnages woolfiens, des êtres infiniment complexes, faits de néant et de fièvres, faits de flux et de fragments qui s'entrecroisent, animés de mouvements si fugitifs, si changeants, si évanouissants, si impondérables que Woolf ne parvient pas à les nommer.
Devant la nature, en revanche, devant la campagne et ses saisons, devant sa beauté, ses couleurs, son chatoiement sous le soleil, devant les averses fantasques, les douces courbes du fleuve et le vol des freux qui palpitent dans le ciel, Virginia Woolf, pure de toute angoisse, peut sereinement *emmailloter* toutes ses sensations dans des mots.
Mais nous ne sommes pas encore au temps de l'écriture. Virginia a treize ans et sa mère vient de mourir.

Celle-ci était belle et riche et élégante et cultivée et issue du grand monde. Idéale.
Elle avait eu trois enfants d'un premier mariage : George, Stella et Gérald, et quatre du second : Vanessa, Thoby, Virginia et Adrian.
Leslie Stephen, épousé en secondes noces, avait eu de son union précédente avec Minnie Thackeray (la fille aînée de l'écrivain), une enfant arriérée, Laura, qui vivra quelque temps avec les sept enfants du couple, puis sera placée dans des institutions et internée à vie.
La famille au complet occupe une vaste demeure, au 22 Hyde Park Gate, Kensington. L'été, elle se rend à St. Ives, en Cornouailles, séjours dont Virginia gardera toute sa vie un souvenir heureux.

La mère est absente, souvent.
Ses œuvres de miséricorde l'entraînent au-dehors une grande partie de son temps et la rendent indisponible à ceux de sa famille. Car depuis qu'elle s'est trouvé une âme charitable, elle court tout le jour d'un taudis l'autre, pleurant les affligés, jouant les infirmières au chevet des mourants et répandant le bien avec un zèle infatigable, puisque répandre le bien est à la mode chez les femmes de son monde.
Parfois, elle tend à ses enfants une joue lointaine. Instants bénis. Inoubliables. Jamais je ne suis restée seule avec elle plus de quelques minutes, regrette Virginia.
Cette mère affairée qui voue à ses enfants une affection distraite, cette mère manquante autant que désirée, Virginia essaiera longtemps de l'inventer. Elle la fera vivre en 1927 dans *La Promenade au phare* sous les traits de Mrs Ramsay.

A sa mort, son époux, Leslie Stephen, affiche un chagrin théâtral et écrit à usage intime un livre de souvenirs (baptisé ironiquement par ses enfants *The Mausoleum Book*) vibrant de lamentos et de grands sentiments.
Mais ce chagrin démonstratif ne l'empêche nullement de régner en despote sur toute la maisonnée et de reporter sur l'aînée des trois filles, Stella, la toute soumise, la toute dévouée, la toute vulnérable, ses exigences, ses caprices, ses frustrations et les fantasmes qui le hantent.
Auprès d'elle il abuse de son pouvoir de patriarche. Et la tendre Stella, à sa merci, subit son ascendant

sans oser protester et se laisse enfermer dans un lien pour le moins équivoque.
Ses frères et sœurs sont les témoins muets de cette affreuse emprise. Tous voient, tous savent, mais tous doivent se taire et ensevelir au fond d'eux le sentiment que quelque chose se produit au sein de leur famille qui ne devrait pas être. Dans ce milieu très puritain et très conventionnel de la grande bourgeoisie anglaise, il est des choses qui ne se disent pas, qui ne se pensent pas.
Un jour, Stella se fiance, et Vanessa comme Virginia assistent, éblouies, à la métamorphose opérée par l'amour. Mais pour Leslie Stephen, la chose est inacceptable. Furieux, meurtri, jaloux, il ne supporte pas que Stella, pour laquelle il avoue avoir *quelque chose de plus que de l'affection,* lui échappe, et fait tout ce qui est en son pouvoir pour retarder le mariage.
La pauvre Stella meurt de maladie trois mois après, et ses sœurs accablées de tristesse ne peuvent s'empêcher de penser que leur père en est, d'une certaine façon, la cause.
Stella disparue, Vanessa se voit contrainte de prendre en charge la gestion domestique. C'est un cauchemar. Car chaque fois qu'elle présente les comptes à son père, celui-ci éclate en colères terribles. Les questions financières lui portent sur les nerfs.
Cet homme respectable, cet intellectuel estimé, ce grand bourgeois soucieux de bienséance et obséquieux dans ses rapports publics, cet écrivain qui compte pour amis les plus grands, Henry James et

Thomas Hardy, se révèle dans l'intimité avare, colérique et d'un égocentrisme démesuré.

Vanessa se révolte contre ce *lion dangereux*, et quelquefois le brave. Il incarne à ses yeux cette haute société aussi cultivée qu'elle est conformiste, hypocrite, guindée et d'un formalisme mortel.

Virginia, moins frontale, éprouve pour son père des sentiments plus ambigus. Ce dernier lui a lu les grands textes, lui a ouvert l'accès à sa bibliothèque et l'a fortifiée dans sa passion pour la littérature. A ce titre, elle lui voue une gratitude infinie. Mais il lui inspire en même temps une inquiétude sans nom, une méfiance sauvage, une horreur même, contre lesquelles elle ne cessera pendant des années de se battre. Vingt-quatre ans après sa mort, elle écrira dans son Journal, le 28 novembre 1928 : *Il aurait pu avoir quatre-vingt-seize ans comme tant d'autres gens que l'on a connus, mais grâce au ciel, il ne les a pas eus. Sa vie eût entièrement détruit la mienne. Que serait-il arrivé ? Pas d'écriture. Pas de livres. Inconcevable ! Autrefois je pensais tous les jours à lui et à maman. Mais en écrivant* La Promenade au phare*, je les ai ensevelis dans mon esprit.*

Leslie Stephen meurt en 1904.

Virginia souffre, après sa mort, d'un premier accès mélancolique. Elle ne dort plus, entend des voix qui l'appellent, et tente de se défenestrer. Une fois rétablie, elle rejoint ses deux frères Thoby et Adrian et sa sœur Vanessa, lesquels, délivrés de l'emprise paternelle, se sont installés au 46 Gordon Square, dans le quartier de Bloomsbury.

Une nouvelle vie commence.
Thoby invite les amis qu'il a rencontrés à l'université de Cambridge. Et un petit groupe se forme de jeunes gens riches, doués, brillants, spirituels et d'une liberté d'esprit qui, véritablement, décoiffe.
Ils s'appellent Maynard Keynes, Duncan Grant, Clive Bell, Lytton Strachey, Oliver Strachey, Saxon Sydney Turner, Morgan Forster et Roger Fry.
Ils sont essayistes, économistes, critiques d'art, peintres ou écrivains en herbe
Ils se querellent, ils se déchirent, ils s'aiment, ils se fâchent, ils se raccommodent, ils se refâchent. Mais l'amitié qui les unit demeure jusqu'à la fin indestructible.
Ils se retrouvent tous les jeudis, médisent avec gourmandise, ironisent sur presque tout, se délectent de mots crus, affichent une liberté sexuelle qui scandalise et débattent de grandes questions philosophiques tout en maniant avec dextérité les pinces à sucre, car ils ne se départent jamais de leurs excellentes manières.
Ils sont furieusement snobs, furieusement mondains et négligemment méprisants envers le reste du monde, ou affectant de l'être. Je n'aime pas offrir des gâteaux à des personnes mal vêtues, écrit Virginia dans une lettre du 26 février 1939 à Vita Sackville-West.
Ostensiblement anticonformistes, ils rejettent en vrac : la cérémonie du thé, les révérences patelines, les explétifs de politesse, les conversations sur le refroidissement de la reine Mary, les idiosyncrasies alimentaires de Sa Majesté George V, ses tatouages

excentriques et son cher perroquet, le capitalisme naissant, le roman victorien, l'art frileux, l'art prudent, et les bouches cousues presque autant que le sexe, bref tout ce que comporte d'exécrable cette société anglaise amidonnée, puritaine, étranglée de principes et violemment répressive sous le vernis de sa bienséance.

Roger Fry, le plus âgé d'entre eux, organise en 1910 et 1912, à Londres, deux expositions sur les postimpressionnistes qui rassemblent Manet, Cézanne, Gauguin, Seurat, Derain et quelques autres. Les belles âmes sont offusquées.

Le critique du *Times,* tout retourné, s'enflamme contre cette maudite manie qu'ont les artistes modernes de vouloir à tout prix épater le bourgeois.

Les personnes-comme-il-faut, qui militent au redressement de la moralité anglaise attaquée de toutes parts, changent de trottoir à peine les avisent-elles. Les parents désolés évoquent leurs méfaits avec l'air de réprobation requis : hochements de tête accompagnés d'un froncement concomitant du front qui ne les met pas à leur avantage.

Les vieilles tantes, à l'heure du thé, les condamnent avec tant de vigueur que leur tasse en frémit, quelle horreur, quelle horreur.

Henry James lui-même se dit profondément choqué. Il faut préciser qu'un terme comme « chien » lui semble imprononçable tant il pue la vulgarité, et qu'il juge Flaubert médiocre pour le seul fait qu'il ait osé le recevoir en veste d'intérieur !

Toutes ces réactions les amusent.

Car les jeunes gens de Bloomsbury ont l'esprit à s'amuser.
Mieux, l'enjouement est chez eux quasiment un devoir. Et Virginia, dans ses lettres comme dans son journal, n'y déroge que rarement.
Rien ne pèse en elle, écrit Blanchot, *et rarement angoisse aussi lourde fut d'apparence aussi légère.*
La légèreté est une pudeur autant qu'une politesse.
Si bien que l'aveu que fait Virginia d'avoir été abusée par ses demi-frères pourrait quasiment passer, si l'on se fiait à son ton, pour une anecdote amusante.
Dans ses romans, en revanche, Virginia Woolf tente de s'en défaire. *Quand je vous écris,* dit-elle à son ami français Jacques Raverat, *je prends invariablement ce ton enjoué parce que c'est un masque commode, mais les masques, précisément parce que je suis écrivain, me pèsent.*

Thoby, le frère aîné de Victoria, meurt en 1906 de la fièvre typhoïde qu'il a contractée lors d'un voyage en Grèce. Peu de temps après, Vanessa, la sœur adorée de Virginia, sa Nessa chérie, se marie à Clive Bell, peintre comme elle. Virginia se voit pour lors contrainte, la mort dans l'âme, de quitter le 46 Gordon Square et d'emménager avec Adrian à Fitzroy, quartier où habitera plus tard Sylvia Plath.
Virginia désormais se sent seule et en quête passionnée d'amour. Elle se rapproche de son beau-frère Clive, Clive le mondain, le spirituel, le futile, Clive l'égocentrique qui ne peut s'empêcher de *décocher ses petits hommages à sa propre personne,* mais Clive l'esthète, Clive le raffiné, Clive le littéraire

qui constamment l'épaule et constamment l'incite à aller vers elle-même.
Virginia confie à Clive le penchant qu'elle a pour l'écriture et, de fil en aiguille, le penchant qu'elle éprouve pour lui.
Les voilà qui flirtent ensemble.
Leurs amis, sévèrement, désapprouvent.
Seule Vanessa, avec la dernière dignité, se tait.
Tout porte à croire qu'elle souffre, mais elle est unie à Virginia par tant de liens secrets : les souvenirs d'Hirth Park Gate, les jeux d'enfance, les journées sur le sable à St. Ives, les chasses aux œufs d'oiseaux, les feux d'artifice, les confidences, les coalitions contre le père, les deuils, les rêves, et tant de choses encore, que l'affection qu'elle lui porte demeure, en dépit de la trahison, indestructible.
En 1909 Virginia et son ami Lytton Strachey, homosexuel, lettré et doté d'un physique assez peu avenant (des lectures excessives ont voûté sa silhouette), décident sur un coup de tête de se marier, puis, dans un éclair de lucidité tout aussi brutal, se reprennent.
Un an plus tard, Virginia sombre dans la mélancolie.
Toutes ces morts qui ont précédé, le mariage de Vanessa qui l'a séparée d'elle, sa déconvenue après le refus d'un premier manuscrit, le sentiment constant de son insignifiance, un célibat qui lui pèse et qui la préoccupe (ne devrait-elle pas, à vingt-neuf ans, prendre mari comme tout le monde? resterait-elle seule à vivre dépareillée?) ont convergé vers un point central de son être et réveillé *les démons noirs et velus de la dépression.*
Quelque temps après, elle déménage à nouveau, tout en restant dans le quartier de Bloomsbury, et

partage une maison avec son frère Adrian et deux de ses amis, Duncan Grant et Maynard Keynes, ce qui, pour une femme, est fort mal vu.

C'est à ce moment-là qu'apparait Leonard Woolf. Leonard a rencontré Thoby et tous ces gens bien nés à l'université de Cambridge. Lui est issu du peuple, ou plus exactement d'une famille qui vient *à peine d'émerger de la classe des boutiquiers,* et juive de surcroît. Mais il est brillant, ça compense.
Leonard, après l'université, est parti pour Ceylan, loin de ce qu'il aimait. Il y a occupé pendant six ans les fonctions très ennuyeuses de gouverneur, a chassé le tigre, appris le tamoul, assisté à des pendaisons et forniqué avec des prostituées, non sans quelque dégoût.
De retour à Londres, Vanessa l'invite à dîner et Virginia à partager la maison qu'elle occupe.
Aux deux, il dit oui.
Puis, enhardi, demande Virginia en mariage.
Virginia hésite un moment devant ce *tremblant misanthrope juif.* Elle hésite, d'autant qu'elle ne ressent pour lui aucun frisson sexuel, ce qu'elle lui déclare quelque peu abruptement. *Comme je vous l'ai dit l'autre jour, vous ne m'attirez pas physiquement, je n'éprouve aucune attraction physique pour vous. Il y a des moments – quand vous m'avez embrassé l'autre jour – où je n'éprouve rien de plus que n'éprouverait un roc.*
Mais comme elle lui trouve par ailleurs mille autres qualités, Virginia, après vingt débats intérieurs et quatre nuits d'insomnie, finit par accepter. J'ai une confession à vous faire, écrit-elle à son amie Violet Dickinson, j'épouse un juif sans le sou.

La plupart de ceux qui se sont penchés sur l'œuvre de Virginia Woolf ont souvent fermé pudiquement les yeux sur ses dires concernant les juifs. Mais ces dires existent, et quiconque lit son Journal, se trouve à même de les découvrir.

En 1910 par exemple, elle se plaint, lors d'une croisière au Portugal avec Adrian, de croiser *un très grand nombre de juifs portugais et autres objets répugnants.* Le 4 janvier 1915, elle note dans son Journal : *Je n'aime pas la voix des juifs ; je n'aime pas le rire des juifs.* Plus loin, elle reproche à la mère de Leonard de tenir ses enfants, *ces juifs et ces juives assommants et laids, pour des hommes et des femmes splendides, etc.*

J'aurais pu décider de fermer les yeux sur cet aspect de Virginia Woolf. L'admiration inconditionnelle que je lui voue aurait pu m'amener au déni le plus offusqué. Et j'aurais pu prétendre, avec une mauvaise foi dont je suis capable, que les mots de Virginia ne disaient nullement ce qu'ils disaient. J'aurais été malavisée. Car j'aurais renié ce que, précisément, Virginia Woolf m'apprend ou me réapprend, à savoir que les hommes ont un cœur compliqué rempli de contrebande, que leurs mouvements intimes échappent à la raison, que leurs dissonances intérieures sont souvent mystérieuses, déchirants les paradoxes qui les accablent, et labyrinthiques les combinaisons de leur esprit.

Virginia Woolf, qui dans ses années de jeunesse dénigre les juifs avec légèreté, épouse un juif qu'elle appelle, par affection, *mon juif.* Ce n'est pas la première de ses contradictions.

Mais il faut préciser que, dans le groupe de Bloomsbury, l'antisémitisme est, pour ainsi dire, normal, un tic de la pensée, un réflexe aussi machinal que de placer une fourchette à gauche ou de dire merci et au revoir, un legs qu'on ne prend même pas la peine de discuter et que Virginia, qui pourtant s'oppose avec vigueur aux pensées toutes faites, partage, à notre dam, avec son entourage
Mais que l'on se rassure. Virginia Woolf le remettra bientôt en cause et se livrera dans ses écrits à une critique implacable des préjugés qui infectent son milieu. Mieux, pendant toutes les années qui précéderont la Seconde Guerre mondiale, elle ne cessera, aux côtés de Leonard, de prendre nettement des positions antifascistes et fera cette déclaration qui restera dans la légende woolfienne : *Nous sommes juifs.*
Avec l'arrivée de Hitler au pouvoir, Virginia, Leonard et la plupart de leurs amis de Bloomsbury combattront sans réserve l'antisémitisme qu'ils avaient, dans leur jeunesse, odieusement récité.

Voici donc Woolf mariée.
Et les amis de Bloomsbury à présent dispersés.
Virginia et Leonard aiment infiniment leur vie commune qu'ils partagent entre Londres et Richmond.
Ils s'adonnent (surtout elle) à une orgie de lectures (côté sexe, ils sont chastes), écrivent, se promènent, bavardent, se confient mille choses stupides qui les réjouissent, et reçoivent des visites, lesquelles sont, certains jours, pour Virginia, un *fardeau accablant.*

Car, et c'est une autre de ses contradictions, Virginia Woolf est mondaine autant que solitaire, anéantie certains jours par les courbettes et s'y adonnant, d'autres jours, avec délectation, emportée dans le tourbillon des futilités londoniennes ou prise brusquement du désir de faire abstinence du monde et de se cloîtrer à Richmond afin de *s'empoigner à cette chose anguleuse qui occupe son esprit.*
Mais qu'elle soit ici ou là, Virginia Woolf travaille toujours avec une ardeur infatigable.
Travailler est sa seule parade au danger de devenir folle.
Travailler, lire, écrire, écrire, sans relâche.
De façon à ne pas sombrer dans ce néant qui sépare deux moments d'écriture.
Elle a créé avec Leonard, en 1917, une maison d'édition, la Hogarth Press, où tous deux impriment, collent, relient, choisissent des couvertures, composent et corrigent des manuscrits, ficellent et transportent des paquets *jusqu'à en avoir les mains qui tremblent,* et s'occupent de diffuser leurs livres chez les libraires de province qu'ils vont visiter en voiture.
La Hogarth Press publie presque tous les livres de Virginia et beaucoup de ses contemporains qu'elle admire, notamment TS Eliot, RM Rilke et K Mansfield.
A ce travail d'éditrice qui la passionne s'ajoutent la rédaction de textes critiques, l'écriture d'essais, de pamphlets, de romans, de lettres, de journaux intimes et de conférences qui constituent, si on les additionne, une somme monstrueuse d'occupations.

Virginia s'y consacre portée par des humeurs et des rythmes changeants.
Car le génie, déclare Virginia par la bouche d'*Orlando, fonctionne plutôt à la façon d'un phare qui jette un rayon, puis s'arrête pendant un certain temps; seulement, plus capricieux dans ses manifestations, il peut lancer six ou sept éclairs coup sur coup et puis rentrer dans l'ombre pour une année ou pour toujours.*
Parfois, Woolf connaît ces moments bénis où son esprit *s'élance à tire-d'aile vers ces plateaux sauvages.* Alors elle écrit *au galop,* et sa plume court, et sa plume dévale, et elle avance dans une impatience, dans une rapidité, dans une aisance, dans une fraîcheur d'esprit et un bouillonnement d'idées extraordinaires, jusqu'à *franchir d'un bond le précipice.* C'est ainsi que naissent *Orlando, Flush* et *Trois guinées,* purs jets, purs élans de joie, purs moments de grâce. Alors Virginia peut déclarer sans mentir : *Je suis la plus heureuse des épouses, le plus heureux des écrivains, et je le prétends, l'habitante la plus aimée de tout Tavistock Square.*
Mais il arrive trop souvent que cette joie divine, que ce jaillissement, que cette force aussi sauvage que le vent, cette force errante, incalculable et soudaine, l'abandonne.
Sa ferveur retombe. Ses forces fléchissent.
Elle devient la proie d'un de ces reflux de vie qui la rendent *incapable de hisser un mot de plus sur le mur.* L'horreur rapplique, que l'écriture avait réussi à tenir à distance. Elle en connaît toutes les prémices. Elle peine à soulever le poids des mots.
Elle voit ses phrases, sitôt hissées, retomber dans le vide et s'abolir. Rien n'est plus désespérant.

Et le livre achevé, c'est pire encore
Elle note dans son Journal, le 17 octobre 1934.
Je n'arrive pas à me débarrasser de ma mélancolie. C'est que je suis à la fin de mon livre. J'ai relu d'anciens cahiers de mon journal et j'y ai trouvé le même profond malaise après Les Vagues. *Et après le* Phare *je me souviens, j'ai été près du suicide.*
Après chaque livre ou presque, après *La Traversée des apparences* (1915), après *La Promenade au phare* (1927), après *Orlando (1928),* après *Les Vagues* (1931), après *Les Années* (1937), après *Trois guinées* (1938), Virginia Woolf sombre dans la même mélancolie.
Alors elle s'accuse de tout, d'être ratée, impuissante, stérile, imbécile, méprisée, ridicule. Alors elle se sent friable, au point de craindre, si elle passe une soirée en solitaire, de littéralement se désintégrer. Alors elle se reproche de ne rien savoir de la vie, mais pourquoi écrire si l'on ne sait rien de la vie ? d'être jalouse du renom des autres, jalouse de sa Nessa, jalouse de son ami Lytton que l'on couvre de louanges après qu'il a écrit un ouvrage médiocre.
Elle est pour elle sans pitié.
Dans une terreur panique, elle se sent devenir extérieure au monde, ne perçoit plus le sens des choses, et retrouve cette vieille impression d'être une *meule qui tourne, tourne, tourne, sans raison.*
La vie la renie. Le doute la ronge. Elle trouve que *Les Années* est un pudding atroce, *Trois guinées* un radotage sans force, *Entre les actes* un livre faible et peu fouillé.

Elle ne sait comment appréhender cette chose en elle qui lui fait, après chaque livre, désirer de mourir. *Personne ne sait combien je souffre, le long de cette rue, luttant avec mon angoisse comme je le faisais après la mort de mon frère... Mais à ce moment-là, je luttais contre quelque chose, maintenant contre rien.*
Parfois, elle attribue, sans grande conviction, la violence de sa douleur au conflit intérieur qui oppose sa pensée critique et sa pensée créatrice. Il faut bien inventer des raisons au chagrin.
D'autres fois, elle met sa tristesse sur le compte de sa nature inquiète. Journal, 7 novembre 1928 : *Il est dans ma nature de n'être jamais assurée de rien; ni de ce que je dis, ni de ce que disent les autres, et de toujours suivre aveuglément, instinctivement, avec l'impression de franchir d'un bond un précipice, l'appel de... l'appel de...*
L'indéniable est qu'elle est d'une susceptibilité extraordinairement vive aux bourrasques du monde et qu'elle prête une attention exagérée aux jugements d'autrui. Car, à la différence de la plupart de ses amis artistes capitonnés *d'une couche graisseuse de satisfaction d'eux-mêmes,* sa couche protectrice à elle est une pellicule d'une extrême minceur. Si bien qu'un mot d'éloge la transporte, que l'indifférence de ses amis la désespère et que les *coups d'étrivières* de l'*Observer* ou de l'*Evening Standard* la laissent totalement anéantie.
On peut se demander pourquoi Virginia Woolf, si lucide sur ce que le succès comporte de méprise, si consciente du fait que la fortune des livres dépend de leur transaction plus ou moins réussie avec l'esprit du temps, on peut se demander pourquoi

elle se laisse affecter par des paroles critiques dont la valeur est éphémère et contingente, elle le sait, ou par des paroles mondaines dont elle dit elle-même qu'elles sont creuses et ne signifient rien.
Il y a quelque chose d'énigmatique, écrit Blanchot, dans ces rapports faussés qui mettent un écrivain d'une telle délicatesse dans une dépendance si grossière.
La psychanalyse pourrait hasarder cent hypothèses sur cette immense vulnérabilité de Woolf et certaines, très justes, sur les deuils impossibles qui fondent sa mélancolie. Mais je n'irai pas sur un terrain dont les extrapolations, souvent, m'insupportent. Je me limiterai simplement aux arguments que livre son Journal.
Pour Virginia Woolf, l'œuvre est toujours, forcément, ratée,
puisque obscure à elle-même et chemin dans l'obscur,
puisque fragile et périssable comme la vie de son auteur qui *passera comme un nuage sur les vagues,*
puisque, face à la certitude qu'il n'y a rien, face au néant qui l'oblige à *poser le pied prudemment sur le rebord du monde* afin ne pas tomber dans son gouffre, l'œuvre est dérisoire, comiquement dérisoire,
puisque se proposant de capturer les ombres, de saisir tout le disséminé, le fuyant, l'impalpable, l'écume des choses, son accomplissement se révèle impossible,
puisque se montrant incapable de dire l'essentiel (le deuil impossible de son frère Thoby mort en 1906, Percival dans *Les Vagues*), elle n'est qu'une imposture,

puisque enfin l'œuvre est toujours en défaut, et toujours décevante au regard de la perfection de son projet.
Et quand d'autres artistes font de ces faiblesses vertus, quand ils jouent de cet écart entre l'œuvre rêvée et l'œuvre imparfaite qui s'élabore pour y glisser une surprise, un courant d'air, un lapin, une colombe, un verbe inopiné, un de ces accidents bizarres évoqués par Poe, Woolf vit cette impossible adéquation, cet ajustement avorté, comme une défaite personnelle.

Pourtant, pourtant, il arrive que l'impulsion d'écrire soit impérieuse, irrésistible, jaillissante. Moment de foudre. Pure félicité.
Il arrive qu'en elle une force divine surmonte et domine ce sentiment si désolant que l'œuvre est toujours écueil.
Dans ces moments de grâce, il s'agit de saisir cette *denrée rare* qu'elle appelle la réalité.
Saisir l'instant, le temps qui tombe.
Saisir cette dispersion où nous sommes, nos fragments décharnés, nos menus morceaux.
Il s'agit de poser les mains sur le monde, afin de s'y tenir et faire un sort à cette irréalité qui menace à tout moment de nous engloutir et de nous dissoudre. *Je suis forcée de me cogner la tête contre une porte bien dure, pour me contraindre à rentrer dans mon propre corps.*
De le capturer derrière ses reflets, derrière le conformisme et la myopie qu'impose la bienséance, derrière les barrières de la bonne éduca-

tion, les préjugés de classe et les stéréotypes machistes.

Mais l'essentiel, pour Woolf, c'est le rythme, le battement, le flux et le reflux des vagues qui se brisent, une, deux, une, deux, et aspergent la grève.

Ecoutons ce qu'elle en dit dans *Orlando*.

Ils (Mr Addison, Mr Swift et Mr Pope) *enseignèrent à Orlando l'essentiel du style qui est d'avoir un ton de voix naturel. C'est une qualité qui ne s'acquiert que par l'oreille.*

Un écrivain est une oreille. Rien d'autre.

Un écrivain, comme le cœur et les marées, pour le dire autrement, un écrivain a son rythme intérieur. Et s'il n'entend pas son rythme intérieur, il n'est pas écrivain. C'est aussi simple, et aussi implacable. Le rythme est l'écrivain. Il faudrait, pour bien faire, citer ce qu'en dit Hölderlin, rapporté par Sinclair, y consacrer des pages et des pages, mais ce n'est pas ici le lieu.

Woolf, comme Plath, comme Tsvetaeva, comme tous les écrivains que j'admire, Woolf, c'est un rythme, c'est-à-dire la voix inimitable d'un sujet, sa voix innée, sa voix singulière, laquelle résiste à toutes les métriques sociales.

Et je donnerais ma vie, ou presque, pour que me vienne un rythme aussi beau, aussi imprévisible, un rythme qui d'entrée ridiculise l'ordre et trébuche au premier mot (car un rythme qui refuse de trébucher et de s'élancer vers des rameaux hors de portée n'a qu'un intérêt négligeable), tel celui de cette phrase qui ouvre *Orlando* :

Il – car mon sexe n'était pas douteux, quoique la mode du temps fît quelque chose pour le déguiser – faisait siffler son épée à coups de taille contre une tête de Maure qui, pendue aux poutres, oscillait.

Mais comment évoquer *Orlando* sans parler de Vita Sackville-West ?
En 1922, Virginia tombe éperdument amoureuse de Vita Sackville-West, poétesse et romancière de dix ans son aînée. Avec elle, Virginia découvre pour la première fois la volupté, et la jouissance de la dire, *je t'adore vraiment, chaque partie de toi, des cheveux aux talons.*
C'est pour Vita, pour l'amour d'elle, pour le souvenir d'elle, que Virginia Woolf écrit *Orlando,* mon livre préféré, mon livre admiré, le livre que j'aime des cheveux aux talons, un livre malicieux, pétillant, rapide, léger, aérien, moqueur sans amertume, satirique sans fiel, fantaisiste et profond, et qui donne la voix à une créature aux yeux couleur de violettes trempées, qui est homme et qui est femme, ou qui n'est ni l'un ni l'autre, ou qui est les deux à la fois, mais qui fait en tout cas trembler sur ses bases toutes les certitudes des identités par trop masculines. (Surgissement d'un imaginaire androgyne que Walter Benjamin dira propre à la modernité parce qu'il bouleverse les frontières classiques et oblige à penser ensemble des contraires apparents. C'est dans l'œuvre de Baudelaire que l'essayiste repérera en premier cette redistribution symbolique du féminin/masculin avec les trois figures : de la prostituée comme allégorie moderne de la marchandise, de la lesbienne et de l'androgyne comme allégories de la protestation contre la domination incarnée par les hommes, je résume.)

Woolf commence à écrire *Orlando* en 1927, tout au bonheur de l'inventer et portée par cet élan irrésistible dont j'ai parlé plus haut.
Et ce bonheur et cet élan se lisent à chaque ligne, et ils sont contagieux.
J'ai relu *Orlando* je ne sais combien de fois, et le relirai encore.
J'en connais des phrases par cœur. Et surtout la première que j'ai citée plus haut et que je me retiens de ne pas retranscrire de nouveau.
Je ris souvent en le lisant.
Et quand je ne ris pas, je suis, comme on dit, sous le charme.
J'aime aussi que Woolf, si fragile, si vulnérable, s'y venge. Et qu'elle s'y venge de la seule façon dont il convient de se venger des méchants : par le rire. Exemple, le portrait qu'elle fait de Nick Greene, le critique littéraire obsédé de Gloâre autant que de monnaie, fasciné par lui-même autant que par Shakespeare, davantage occupé par son foie et sa rate que par la poésie qu'il déclare adorer, plein de ressentiment pour les auteurs vivants qu'il stigmatise et raille, mais dont les mots haineux ont la vertu de le nourrir, apparemment fort bien, et de l'enrichir, apparemment beaucoup, tiens, il me fait penser à quelqu'un.

Les dernières années de la vie de Virginia Woolf vont être à l'inverse de celles si vivantes évoquées ci-dessus.
En 1937, l'année de parution du roman *Les Années*, Julian Bell, son neveu, qui s'est engagé auprès des

républicains espagnols, est tué par les troupes franquistes. Et le chagrin immense de cette mort ne va plus la quitter.

En juin 1938, la sortie de *Trois guinées* ne lui apporte que tristesse. Ce livre militant, qui n'est pas son meilleur, qui est même à mes yeux son plus lourd, son plus démonstratif, donc son plus indigeste, défend la cause des femmes dominées et exploitées par les hommes. Il provoque évidemment les injures de la critique en grande partie misogyne et l'hostilité de ses amis de Bloomsbury, rebutés par son côté trop littéralement politique.

En février 39, elle fait don du manuscrit de *Trois guinées* à une association qui organise une vente à New York pour venir en aide aux réfugiés d'Allemagne.

La guerre la tourmente.

Tous les murs, les murs qui protègent et réverbèrent, se sont, du fait de la guerre, terriblement amincis. Il n'y a plus de principe qui justifie d'écrire, plus de public pour vous répondre, la tradition elle-même est devenue transparente.

Un monde est en train de sombrer et le nouveau n'est pas près de naître. Comment vivre sans avenir, le nez collé contre une porte close ? A quoi se raccrocher ? Comment jeter avec les mots un pont sur le néant ? Pourrai-je encore écrire une de ces phrases qui faisaient mon bonheur ? se demande Virginia.

Les jours, entre deux bombardements, sont faits d'une attente anxieuse où rien ne peut advenir.

Les rues de Londres sont quasi désertes.

Oxford Street est un large ruban gris.

L'horreur est devenue réelle.
Le 21 janvier 41, le *Harper's Bazaar* annonce à Virginia qu'il refuse deux de ses manuscrits *Le Legs* et *Ellen Terry*. Elle lutte contre son chagrin en faisant du rangement dans sa cuisine (méthode peu efficace pour l'avoir expérimentée).
Le 26 février, elle achève son roman *Entre les actes* et l'envoie à John Lehman, collaborateur de Leonard à la Hogarth Press. Ce dernier lui envoie une lettre très élogieuse et lui annonce la parution du livre pour le printemps.
Le 20 mars, elle adresse à John Lehman une lettre d'excuse lui expliquant que son roman est faible et insuffisamment fouillé et qu'elle demande le report à l'automne de sa publication.
Le même jour, Vanessa, venue prendre le thé, s'inquiète de l'état de sa sœur et lui écrit le soir même pour l'exhorter à se soigner.
Le 23 mars, Virginia répond à Vanessa que l'horreur a recommencé. Des voix inhumaines l'assiègent. Elle redevient folle. Elle pense qu'elle ne pourra pas surmonter cette nouvelle épreuve.
Le 24 mars, elle reprend son Journal pour la dernière fois. *Leonard est en train de tailler ses rhododendrons* sont les derniers mots qu'elle y trace.
Le 27 mars, Leonard, très inquiet, la conduit à Brighton pour qu'elle consulte le Dr Octavia Wilberforce.
Le 28 mars, elle écrit à Leonard :
A toi, le plus cher,
Je suis certaine que je retombe dans la folie : je sens que nous ne pouvons plus traverser à nouveau un de ces épi-

sodes épouvantables. Et cette fois-ci, je ne m'en remettrai pas. Je commence à entendre des voix, et ne peux me concentrer. J'accomplis donc ce qui me paraît la meilleure chose à faire. Tu m'as apporté le plus grand des bonheurs possibles. Tu as été en toutes choses tout ce qu'un être humain pouvait représenter. Je ne crois pas que deux personnes puissent être plus heureuses jusqu'à l'arrivée de cette terrible maladie. Je ne peux plus lutter contre elle, je sais que je gâche ta vie, que sans moi tu pourrais travailler. Et je sais que ce sera le cas. Tu vois, je ne puis même pas écrire ces mots comme il faudrait. Je ne peux plus lire. Ce que je tiens à dire, c'est que c'est à toi que je dois tout le bonheur de mon existence. Tu as été avec moi d'une patience inlassable et d'une incroyable bonté. Je tiens à le dire – tout le monde le sait. Si quelqu'un avait pu me sauver, cela aurait été toi. Tout m'a abandonné, sauf la certitude de ta bonté. Je ne peux plus continuer à gâcher ta vie.

Je ne pense pas que deux personnes auraient pu être plus heureuses que nous ne l'avons été.

Ce même jour, elle entre dans l'Ouse, les poches pleines de pierres. Les eaux se referment sur elle. Et rien ne vient soulever leur poids.

Ingeborg Bachmann

Tu devrais parer l'étrangère près de toi des
Choses les plus belles.
Tu devrais la parer de la souffrance venue de
Ruth, venue de Myriam et de Noémie.
Tu devrais dire à l'étrangère :
Tu vois, je dormais près d'elles.

L'étrangère, c'est elle, Ingeborg Bachmann, que Paul Celan rencontre à Vienne en janvier 1948 et à qui il offre le poème *En Egypte* où figurent ces vers.
Lui est né dans une famille juive de langue allemande, à Czernowitz, en Bucovine, rattachée depuis 1920 à la Roumanie.
En 1938, il se voit obligé de partir pour la France étudier la médecine, les universités locales ayant fermé leurs portes aux étudiants juifs. Un an après, il regagne la Bucovine où la guerre l'oblige à rester. En juin 40, les Soviétiques occupent Czernowitz qu'ils quittent en 41 après l'invasion de l'URSS par les nazis. A leur départ, les troupes roumaines fascistes et un bataillon de SS s'emparent de la ville.

L'horreur commence. *Les molosses sont lancés.* La synagogue est incendiée. Paul Celan est envoyé dans un camp de travail en Valachie, où il creuse creuse la terre. Ses parents sont déportés en Ukraine. Son père y meurt du typhus. Sa mère est exécutée d'une balle dans la nuque dans le camp de Michailowka. En 1944, Paul Celan revient en Bucovine à nouveau occupée par les Russes et travaille comme lecteur dans une maison d'édition à Bucarest. Il quitte clandestinement la Roumanie en 1947 pour se rendre à Vienne où il ne reste que quelques mois car les bourreaux d'hier s'y promènent encore sous des masques débonnaires. C'est à Vienne qu'il rencontre sa douce folle.

Elle s'appelle Ingeborg Bachmann.

Elle est née le 25 juin 1926 à Klagenfurt, capitale de la Carinthie située au sud de l'Autriche, où naquirent Musil et Handke, mais aussi Jorg Haider de sinistre mémoire, *Klagenfurt où depuis toujours,* écrit Thomas Bernhard, *le nationalisme, le national-socialisme et la stupidité provinciale se sont épanouies dans la vulgarité.*

Son père, Matthias Bachmann, officier pendant la Première Guerre mondiale, adhère dès 1932 au parti national-socialiste, alors interdit en Autriche. Ingeborg ne révélera jamais publiquement cet engagement et cachera toute sa vie le terrible secret.

Le 12 mars 1938, c'est l'Anschluss, l'Autriche est annexée au Reich, et les troupes hitlériennes entrent dans Klagenfurt sans rencontrer la moindre opposi-

tion. Ingeborg, qui a douze ans, dit avoir été saisie d'une terreur mortelle devant ces défilés militaires, ces drapeaux déployés, ces chants triomphants et la brutalité de cette occupation que la fillette qu'elle est perçoit sans la comprendre.
Son père, qui fait partie du noyau dur des nazis de Carinthie, s'engage volontairement dans la campagne de Pologne en septembre 1939. Il ne reviendra qu'à l'automne 45.
Notre famille, écrit-elle, *eut ses monarchistes et ses anarchistes, ses socialistes et ses communistes. Puis vint un jour où elle eut ses nazis et ses antisémites, ses esprits confus, ses pilleurs et ses assassins...*
Après la guerre, Ingeborg Bachmann part étudier la philosophie, d'abord à Innsbruck, puis à Graz et enfin à Vienne où elle arrive en 1946.
Elle publie la même année une nouvelle « Le passeur » qui paraît dans un journal de sa ville, entreprend un roman, *Ville sans nom,* dont il ne reste que deux fragments, et commence la rédaction d'une thèse : « La réception critique de la philosophie existentielle de Martin Heidegger ».
En 47, elle rencontre les écrivains du Groupe 47, Heinrich Böll, Martin Walser, Hans Magnus Enzensberger, Uwe Johnson, Peter Weiss, Ilse Aichinger et quelques autres, qui se réunissent régulièrement au Café Raimund pour réfléchir aux enjeux esthétiques et politiques de la littérature.
Tous sont impressionnés par sa présence.

Où qu'elle soit, Ingeborg Bachmann est toujours et tout de suite le centre, c'est une chose qui ne s'explique pas.

Elle a du style, même son silence a du style, c'est une chose qui ne s'explique pas davantage.
Son visage est très beau, avec quelque chose de vulnérable, qui attire.
Elle fume nerveusement cigarette sur cigarette.
On dirait qu'elle marche sur des lames de couteau.
Elle est si réservée et si timide que lors de sa première lecture devant le Groupe 47, sa voix est inaudible. Un des auteurs présents se propose alors de relire son poème à haute et distincte voix. Elle s'évanouit d'émotion (détail qui suscite en moi, par identification, une immédiate sympathie).
Thomas Bernhard, qui me conduit vers elle (car un auteur aimé vous amène vers ses livres aimés, lesquels vous amènent vers d'autres livres aimés, et ainsi infiniment jusqu'à la fin des jours, formant ce livre immense, inépuisable, toujours inachevé, qui est en nous comme un cœur vivant, immatériel mais vivant), Thomas Bernhard, disais-je, dit d'elle qu'elle est un événement. Il l'admire. Dans *Extinction*, il l'appelle sa grande poétesse, sa grande artiste. Lui qui a toujours fui les écrivains, lui qui ne voit en eux que des petits-bourgeois, méchants, médiocres et fourvoyés dans la folie des grandeurs, lui qui ne s'est jamais assis à leur table, *car s'asseoir à la table d'un écrivain c'est pour moi la chose la plus répugnante qui se puisse imaginer*, il dit d'elle qu'elle est la grande, l'unique, celle qui restera, *celle dont nous n'aurons pas honte dans cent ans.* Elle ne recule devant rien dans ses pensées, dit-il encore. Elle est à cent pour cent dans ses poèmes, alors que dans les productions de ses consœurs, des rivales qui

intriguent continuellement contre elle, ce n'est jamais le cas.
Heinrich Böll, de son côté, dit qu'elle est généreuse. Qu'elle n'hésite pas à téléphoner à la moitié de l'Italie pour trouver à un ami un hôtel convenable. Il dit aussi qu'elle a du courage, du courage littéraire et du courage politique, car il en faut, du courage politique, pour adhérer en 58 au Comité contre l'armement nucléaire, et soutenir en 63 une plainte contre Josef Hermann Dufhues, secrétaire général de la CDU (parti de la droite modérée au pouvoir) qui a insulté, estime-t-elle, le Groupe 47.
Comme Thomas Bernhard, elle déteste l'Autriche. Elle déteste ce pays où l'horreur nazie a fait régner une *nuit profonde,* une nuit qui ne veut pas finir. Elle le qualifie de pays putréfié. Elle le fuit constamment. Elle habite tour à tour à Paris, Londres, Berlin, Francfort, Zurich, Naples et Rome où elle meurt en 1973. Elle déménage quatorze fois. Dans son univers romanesque, on retrouve toujours cette impossibilité d'un ancrage. Tout y est toujours incertain, délocalisé. En 1964, elle publie l'un de ses poèmes les plus célèbres : « La Bohême est au bord de la mer » dans lequel elle invente le seul pays qu'elle considère comme sien : une Bohême idéale, bordée par la mer, patrie des apatrides et refuge de tous ceux qui sont de nulle part.
Elle dit qu'elle déteste la littérature lorsque la littérature n'est qu'une parure de cheminée.
Elle veut que la littérature exerce une influence sur la réalité. Elle le croit. Elle veut le croire. Il y a en elle quelque chose de naïf.

Elle a de la droiture, et cela me plaît. Au risque de mettre en péril ses projets éditoriaux, elle prend la décision irrévocable, au mois de mars 1967, de quitter sa maison d'édition Piper, car elle vient d'apprendre que la poétesse russe Anna Akhmatova ne sera pas traduite par Paul Celan, comme on le lui avait promis, mais par un poète qu'elle trouve exécrable : Hans Baumann.
Elle se fout du fric. Elle ne remarque pas que la radio, qui la demande avec insistance, la paie fort mal, et elle signe distraitement des contrats qui n'honorent point ses employeurs.
Son amie Inge von Weidenbaum confie qu'elle a horreur de toutes les démonstrations ostentatoires.
Toutes ces choses que l'on rapporte d'elle m'émeuvent infiniment et me la font aimer.

En janvier 1948, elle rencontre donc Paul Celan, poète encore inconnu mais qui sera regardé quelques années plus tard comme l'un des poètes majeurs du XXe siècle.
Il a vingt-sept ans. Elle en a vingt et un.
Il écrit pour elle le poème « Corona » qui sera publié dans sa version définitive en 1952, dans le recueil *Pavot et mémoire* :
nous nous regardons,
nous nous disons l'obscur,
nous nous aimons comme pavot et mémoire,
nous dormons comme un vin dans les coquillages,
comme la mer dans le rai sanglant de la lune.
Leur lien, qui restera jusqu'à la fin nécessaire à leur vie, à leur œuvre, viendra buter sur mille impasses

et mille incompréhensions. Mais ni leur fardeau de silence, ni les secrets ensevelis dans le fond de leur cœur, ni les questions imprononcées dont ils traquent les réponses sur la bouche de l'autre, ni le poids terrible dans leur vie des mécomptes de l'Histoire, n'auront raison de leur obscur amour.
Après le suicide de Celan en 1970, Ingeborg Bachmann écrira dans *Malina* : *Ma vie est finie car il s'est noyé dans le fleuve pendant l'évacuation. Il était ma vie. Je l'ai aimé plus que ma vie.*
Et lorsque Philippe Jaccottet la rencontrera à Rome pour sa traduction de *Malina,* en 1972, la seule mention qu'il fera du nom de Celan suffira, dit-il, à embuer ses yeux.

Dès qu'elle fait sa connaissance, Ingeborg Bachmann perçoit chez Paul Celan un chagrin inconsolable, presque inhumain.
Je vois avec beaucoup d'anxiété, lui écrit-elle quelques mois après leur rencontre, *comme tu es entraîné vers le large sur une mer immense, mais je vais me construire un bateau pour t'arracher à la perte et te ramener à bon port.*
Elle perçoit d'autant mieux sa détresse qu'elle est elle-même un être déchiré.
Fille d'un homme qui s'est résolument rangé du côté de Hitler, elle aime un poète juif qui a échappé aux camps d'extermination où ses deux parents moururent.
Comment vivre avec au cœur un tel dilemme ?
Comment vivre dans un monde où la loi de la *Rassenschande,* interdisant aux juifs d'avoir des rapports sexuels avec des Aryens, est encore dans

toutes les mémoires ? Comment côtoyer intimement un père qui a participé à la pire des monstruosités et un amant rescapé de la Shoah ? Comment répondre en même temps au besoin exigeant de vérité qui l'obsède et à la nécessité intérieure de taire, par loyauté filiale, l'abject engagement paternel ? Comment expliquer à son amant qu'on est la fille d'un meurtrier, mais que ce meurtrier est le seul homme au monde à ne pas vous avoir abandonnée ? Comment trahir un assassin lorsque cet assassin est de votre famille et qu'en le trahissant on se trahit soi-même ?

Serais-je digne d'appartenir à une famille dont je trahirais les meurtriers et dénoncerais les voleurs ? Il est sans doute possible de dénoncer les crimes et les manquements de familles étrangères, mais ma famille avec ses abcès purulents, jamais, jamais je ne la trahirai. (La mort viendra, 1965, édition posthume.)

Comment vivre avec une culpabilité insurmontable pour une faute que l'on n'a pas commise ?

Comment vivre *avec des chardons dans le cœur* ?

Trop d'épreuves, trop de douleurs, trop de fantômes pèsent décidément sur l'amour que se vouent Paul Celan et Ingeborg Bachmann. *Père et mère disent qu'un fantôme nous hante/ Quand nos souffles s'échangent,* écrit-elle dans *Invocation à la Grande-Ourse.*

Mais en dépit de tant d'impossibles, Ingeborg Bachmann et Paul Celan (exilé à Berlin puis à Paris) vont poursuivre pendant des années leur amitié précieuse par le biais de leurs lettres et de leurs œuvres croisées, puis vont s'éloigner doucement, poussés dans des mers différentes, mais sans jamais se perdre.

Mon amour insatiable pour toi, écrit-elle, *ne m'a jamais quitté et je cherche à présent dans les ruines et les airs, dans le vent glacé et sous le soleil, les mots pour toi qui me jetteraient de nouveau dans tes bras.*

Mille choses les unissent et autant les éloignent.

Ingeborg Bachmann aime l'amour, la vie, la poésie. Celan est adonné à la nuit, couché à l'ombre des morts, *maître des cachots et des tours.*

Elle veut croire que l'amour peut donner la lumière et que les pierres peuvent fleurir. Pour lui, l'amante la plus aimée demeure à tout jamais l'étrangère.

Elle peut lui avouer : *Tu es mon bonheur. Que ne voudrais-je l'être pour toi,* alors que le bonheur, à Celan, est interdit, puisque tout amour convoque en son cœur *la douleur éprouvée pour Ruth, Myriam et Noémie,* puisque tout le sens du monde s'est abîmé dans la Shoah, puisque cette horreur a séparé irrémédiablement les hommes, puisqu'elle les a, elle et lui, séparés.

Ingeborg Bachmann se révolte contre cette séparation érigée en destin, contre le froid, contre la nuit, contre l'Histoire qui est devenue leur tombe, et contre la *morale débile des victimes qui laisse peu à espérer.*

De la victime, dit-elle, *nul n'a le droit de se déclarer. C'est abuser. Aucun pays, ni aucun groupe, ni aucune idée n'a le droit de se réclamer de ses morts.*

Car aussi meurtrie qu'elle puisse être, Ingeborg Bachmann refuse dans ces années-là, à la différence

de Celan, de s'avouer vaincue, les désenchantements viendront plus tard. *Si ce monde est terrible, je n'en connais pas d'autre, hors de lui il n'y a rien,* dit-elle. *Qu'il s'avance, celui qui connaît un monde meilleur.*
Et elle espère encore depuis le fond de son malheur.
Au fond du malheur, je m'éveille tranquillement
Maintenant ma science est profonde et je suis non-perdue.
Elle espère qu'un monde lumineux viendra, *et qu'importe,* dit-elle, *s'il vient dans mille ans, j'y crois. Car si je n'y croyais plus, je ne pourrais plus écrire.*
Il est en tout cas une force dont elle est sûre et qui la porte : la force que confère le « nous ».
Là ou nous sommes est la lumière.

Mille impossibles, ai-je dit, les séparent. Mais l'un et l'autre ont en partage avec les écrivains du Groupe 47 une même question : dans quelle langue écrire depuis que leur langue maternelle, l'allemand, a été corrompue par la catastrophe nazie? depuis qu'elle est devenue une langue obscène, déshonorée, imprononçable, une langue de Mort? Dans quelle langue écrire lorsqu'on cherche, non pas à s'exonérer d'une histoire abjecte, mais à l'endosser avec son poids d'horreur, avec son poids de cadavres, pour en balbutier ce qui n'a pas encore trouvé de mots?
Dans quelle langue écrire quand parler est devenu plus que jamais indispensable?
Pas d'autre issue que de continuer à dire. Et cela est possible. Ingeborg Bachmann, Paul Celan et leurs amis du Groupe 47 pensent, contrairement à Adorno, que cela est possible.

Et si, pour certains, aucune consolation n'est à attendre après la rupture irréparable qu'a constituée la disparition de tout un peuple, il reste néanmoins qu'une parole est possible.
Une chose, parmi tout ce que nous avons perdu, reste à notre portée, proche, non perdue : la langue, dit Paul Celan lorsqu'il reçoit le Prix de littérature de la ville de Brême en 1958. Et il ajoute : *Le poème peut être une bouteille jetée à la mer, abandonnée à l'espoir, certes fragile, qu'elle pourra un jour être recueillie sur quelque plage, sur la plage du cœur.*
Une parole est possible, une parole née du dedans même des cendres d'Auschwitz et du dedans même de ses ténèbres.
Une parole pour que les morts ne soient plus seuls.
Une parole pour se souvenir de la nuit et dire ce que l'Autriche, honteusement, bâillonne.
Mon triste père,
pourquoi vous êtes-vous tu jadis ?
demande Ingeborg Bachmann dans le poème « Curriculum vitae ».
Car se taire, pour Bachmann, pour Celan et pour tous les écrivains du Groupe 47, se taire n'est rien moins que donner la victoire aux bourreaux.

Ingeborg Bachmann écrit donc des poèmes, des nouvelles et des pièces radiophoniques, insoucieuse des partitions selon les genres, et reprenant à son compte cette affirmation de Shelley selon laquelle *la distinction entre poètes et écrivains en prose est une erreur vulgaire.*
Bientôt elle devient célèbre. Sur une méprise. Comme souvent. La critique croit voir dans ses

deux premiers recueils de poèmes, *Le Temps en sursis,* publié en 1953, et *Invocation à la Grande-Ourse,* publié en 1956, le renouveau d'une poésie possible après le désastre. On l'admire. On la fête. On lui décerne plusieurs prix. Elle fait même la couverture de *Der Spiegel.* On s'accorde à lui reconnaître une voix poétique à la fois singulière et en lien avec la tradition lyrique. Elle vient incarner pour cette génération d'après guerre une forme d'espoir, et ce d'autant mieux qu'elle laisse dans le flou la perception d'un réel contaminé par le nazisme.

Ce n'est que quelques années plus tard, lorsqu'elle publie *Malina,* qu'une campagne de presse incendiaire se déchaîne à son endroit. Elle n'est plus désormais la poétesse consolatrice de l'après-guerre, et belle de surcroît, mais l'écrivain de la fracture, l'écrivain qui, non seulement déroge aux critères formels et conceptuels du roman, mais a le mauvais goût de faire resurgir dans une vision de cauchemar le passé effroyable.

Déroutée par l'âpreté de la condamnation qu'Ingeborg Bachmann porte sur la violence patriarcale et les idéologies mortifères qui sévissent encore, dérangée par une prose sans *delikatessen* et qui vient arracher l'Autriche à ses derniers mensonges, la critique dominante se montre incapable d'entendre sa voix et la qualifie de *poétesse déchue.*

Mais Bachmann n'en continue pas moins d'écrire, dans la reconnaissance de ses pairs et le rejet violent de la scène littéraire qu'elle juge désormais *aussi sale que le commerce des armes.*

Persuadée qu'il n'est pas de monde nouveau sans langage nouveau, Ingeborg Bachmann va tenter obstinément d'inventer une langue utopique, une langue qui ouvre son chemin à travers d'autres langues, une langue à la fois singulière et plurielle, et qui mêle aux mots de l'auteur les mots des autres, ceux de ses frères de papier, morts ou vivants, ceux de Shakespeare, de Musil, de Karl Kraus, de Bertolt Brecht, de Wittgenstein, d'Herman Broch, de Rimbaud, de Büchner ou de Goethe.

Mais ce sont surtout les mots de Paul Celan qu'Ingeborg Bachmann s'approprie, des mots infiniment aimés, infiniment cités, repris en écho, en prières, en cris, en sanglots, en silences, des mots écrits sans guillemets parce que devenus siens, et qui vont secrètement tisser entre Celan et elle une longue, une poignante, une inlassable conversation, murmurée, souterraine.

Il faudrait faire preuve d'un esprit infâme pour considérer ces reprises et ces variations des vers de Celan dans les textes de Bachmann comme de vulgaires emprunts ou des spoliations frauduleuses. Car ce dont il s'agit pour elle, c'est de faire résonner l'œuvre admirée, les œuvres admirées, en tentant de repenser, d'élargir et de démultiplier la notion, qu'elle trouve trop étroite, de propriété littéraire.

Ce qui importe, affirme-t-elle, c'est moins l'individualité d'un auteur que cette communauté élective qui constitue sa bibliothèque.

Et que les textes jouent entre eux dans leur asymétrie.

Et qu'ainsi ils renaissent et se prolongent en d'autres.
Et qu'ils enfantent inépuisablement de nouvelles œuvres.
Et qu'ils constituent un espace qui puisse infiniment s'ouvrir.
Cela seul importe.
Et quand Celan, dans les années 60, se voit injustement accusé par la veuve du poète Yvan Goll d'avoir pillé les inventions de son époux (campagne d'accusation amplement relayée par la presse et qui finira de le briser), Ingeborg Bachmann reste l'une des rares à le défendre corps et âme, revendiquant à titre personnel son droit de mettre en cause la notion individuelle d'auteur souverain au bénéfice d'une « commune présence », d'une énonciation hybride, ouverte, généreuse et disséminante.
Ingeborg Bachmann l'affirme : l'œuvre est un mouvement vers l'autre, un appel, une adresse. Elle tend sa main à l'autre, au-dessus de l'abîme. Elle ouvre la porte à l'autre qu'elle tutoie, à l'espagnole, non dans un geste de grossière familiarité, mais juste pour indiquer que la rencontre est possible.
(Viginia Woolf, dans une volonté semblable, disait rechercher sans cesse la corde à jeter au lecteur.)
L'écrivain est tourné de tout son être vers un TU, vers cet homme à qui il voudrait que parvienne son expérience des hommes (discours de réception du Prix de la pièce radiophonique pour *Le Bon Dieu de Manhattan*).

Dans les *Leçons de Francfort* qu'elle accepte de donner en 1959, Ingeborg Bachmann, d'une voix

fragile et mal assurée, va tenter de formaliser ce qu'elle attend de la littérature.
Elle la veut sans fioriture. Loin de tout fabriqué. Loin *des petits-fours verbaux* qu'adore *la populace cultivée.* Et encore plus loin du cynisme et de la vanité. Refusant comme une obscénité toute satisfaction esthétique devant *la faim/ l'opprobre/ les larmes /et les ténèbres.* Se méfiant secrètement de la beauté. Cherchant sans désarmer une compréhension des autres et du monde. Se proposant d'user de la langue comme d'une arme, et de combattre le langage infâme de la pub, du marché, de la politique politicienne, de ce qu'elle appelle la *langue des escrocs,* afin d'en dévoiler ce qu'elle charrie d'idéologie morbide et d'assujettissement mental. Lucide toutefois sur les limites de son pouvoir, souvent désabusée, sinon désespérée, comparant les engouements et désengouements littéraires aux fluctuations de la Bourse, mais refusant farouchement d'abdiquer et décidée à se battre sans fin contre les pulsions destructrices continûment à l'œuvre dans le monde.

Car ce qu'a compris très jeune Ingeborg Bachmann et qui l'a hantée pour le restant de ses jours, c'est que la guerre une fois terminée se continuait sous d'autres formes.
Dans son poème « Tous les jours », daté de 52, elle disait déjà :
La guerre n'est plus déclarée,
Mais poursuivie. Le scandale
Est devenu quotidien.

Et vingt après, dans son roman *Malina* :
Ici, c'est toujours la guerre
Ici, c'est toujours la violence.
Toujours le combat.
C'est la guerre éternelle.

Ce qu'elle a perçu très tôt, c'est que la bête immonde était loin d'être morte, que le nazisme gangrenait encore la société viennoise qui se taisait sur ses méfaits, que les bourreaux d'hier vidaient la coupe d'or en toute impunité, et que la prétendue reconstruction autrichienne n'était au fond rien d'autre que le maquillage des anciennes abjections, vêtues d'habits proprets et coiffées de chapeaux tyroliens.

Ce qu'elle a ressenti dans sa chair même, c'est que l'esprit national-socialiste sévissait toujours en Carinthie comme dans toute l'Autriche, que l'éducation dans les familles était toujours national-socialiste, les journaux toujours nationaux-socialistes et les fanfares toujours nationales-socialistes.

Ce qu'elle a compris enfin, c'est que le fascisme des Etats se prolongeait insidieusement en un fascisme intime, un fascisme privé, moins voyant, plus subtil, mais tout aussi mortel. C'est que, chassé ici, il apparaissait là. Pis encore, qu'il pouvait aller jusqu'à s'immiscer dans nos relations d'amour.

Tu dis fascisme ? c'est étrange, je n'ai jamais entendu ce mot pour désigner un comportement privé.

On peut se demander (avec toute la prudence requise) dans quelle mesure la douleur éprouvée après sa rupture avec Max Frisch l'a conduite à cette vision si sombre des rapports amoureux entre les hommes et les femmes.

Il y a, disait-elle, *des hommes avec qui c'est totalement désespéré, et des hommes avec qui c'est un peu moins totalement désespéré.*

Rappelons seulement qu'elle rencontra l'écrivain Max Frisch le 3 juillet 1958, que leur relation dura cinq années et qu'elle se termina de façon navrante. On ne connaît de ce lien que ce qu'il en dévoila dans son roman *Le Désert des miroirs.*

Les proches de Bachmann la dirent anéantie par la séparation et infiniment blessée par ses indiscrétions.

On sait qu'elle fut internée dans une clinique de Zurich et qu'elle prit, dès lors, l'habitude de consommer en quantité somnifères et tranquillisants.

On sait aussi que de cette détresse elle fit plus tard écriture en entreprenant *Façons de mourir.*

Qui, sinon ceux d'entre nous qui ont souffert, pourrait témoigner que notre force excède notre malheur, que l'on sait se relever après avoir perdu et que l'on peut vivre sans illusions, avait-elle déclaré en 59 dans le discours prononcé lors de la remise du Prix de la meilleure pièce radiophonique.

Dans les dernières années de sa vie, Ingeborg Bachmann va tenter de vivre sans illusions (mais une vie sans illusions est-elle supportable ?) et œuvrer à son grand projet, *Façons de mourir,* dont le titre à lui seul annonce que son âme, en vérité, a déjà renoncé et qu'une ombre morbide pèse sur ses épaules.

Façons de mourir devait être composé de trois romans : *Malina, Franza* et *Requiem pour Fanny Goldmann.*

Malina, seul, sera terminé et publié en 1971.
Franza et *Requiem pour Fanny Goldmann* resteront inachevés et paraîtront après sa mort.
Bien qu'inachevé, ou peut-être parce que inachevé, *Franza* est, des trois, celui qui m'entre le plus profondément dans le cœur, celui qui me ferait pleurer si je ne me retenais pas, celui qui m'éprouve le plus douloureusement, sans doute parce qu'il me confronte à quelque chose que je veux et que je ne veux pas savoir.
Ce livre raconte un crime, prévient Ingeborg Bachmann en avant-propos. Un crime qui a pour nom amour.
Si les massacres sont du passé, les assassins eux sont parmi nous, écrit-elle. Mais leurs crimes ont changé. Ils sont aujourd'hui devenus tellement subtils *que nous pouvons à peine en prendre conscience et les comprendre, bien qu'ils soient commis quotidiennement autour de nous et dans notre voisinage. En effet je prétends qu'aujourd'hui un grand nombre d'êtres humains ne meurent pas mais qu'ils sont assassinés.*
Ingeborg Bachmann, dans *Franza,* décrit l'un de ces assassinats légalisés par le mariage, l'un de ces meurtres ordinaires qui ne font pas couler le sang, se perpètrent dans des appartements feutrés et se drapent d'une honorabilité toute bourgeoise.
Franza, disais-je, est resté inachevé. Et rien ne prouve que si Ingeborg Bachmann avait vécu plus longtemps elle aurait mené le roman à son terme. Il est même probable que l'œuvre serait restée en l'état, l'inachèvement se présentant chez elle moins comme une impuissance, un échec ou un accident, que comme un mode d'être et d'écrire.

Franza, c'est Bachmann toujours au bord de se décomposer et de se défaire en lambeaux, *c'est Bachmann qui n'arrive pas à maîtriser son histoire et sa forme..., qui n'arrive pas à transformer son expérience en une histoire présentable...*, dit Christa Wolf, et qui *révèle sa qualité d'artiste en ceci précisément qu'elle n'arrive pas à étouffer dans l'art l'expérience de la femme qu'elle est.*

Franza, c'est Ingeborg Bachmann, et son savoir sur la domination que certains êtres exercent sur d'autres jusqu'à les anéantir, et sa peine de constater qu'au cœur même de l'amour gît le crime.

Car *Franza* est le roman d'un assassinat.

Franza a épousé un médecin, une sommité qui dissèque les êtres jusqu'à ce qu'il ne reste plus d'eux qu'un rapport médical, *un homme qui parle une langue nasale, un mélange particulier de nasale cultivée et de nasale d'autorité,* avec ce ton supérieur et ce je ne sais quoi de hautement moral qui a, dans un premier temps, abusé Franza.

C'est de toute évidence un sadique, *car les sadiques ne sont pas seulement dans les services psychiatriques et dans les salles des tribunaux, mais on les trouve parmi nous avec des chemises blanches impeccables et des titres de professeur.*

Pourquoi n'es-tu pas partie ? s'enquiert, dans le roman, son frère Martin.

Franza ne le sait pas. *Cependant,* dit-elle, *chaque instant que j'ai vécu avec lui m'apparaît comme une infamie.*

Au début, elle s'est accrochée à cet homme, imprudemment, avec ses idées adolescentes. Elle a

cherché son adoubement. Elle l'a voulu. Elle l'a désiré. Pour cela, elle a renoncé à ses idées propres, à ses désirs propres, à ses projets propres. Puis elle a un jour renoncé à tout.
Elle a su dès le début qu'elle se condamnait.
Elle l'a su dès le jour du mariage où elle perdit son nom. *Tu quittes un bureau d'état civil, quelques heures plus tard la porte de l'appartement se referme derrière toi, quelqu'un te soulève après que la serrure a tourné, tu ris avec lui comme si un tour merveilleux venait d'être joué au monde avec cette porte qui se referme, avec le changement de nom.*
Elle l'a su, mais elle s'est aveuglée, s'est illusionnée, s'est menti, et le mensonge a engendré le mensonge.
Pourquoi ne s'est-elle pas enfuie ?
Parce que s'il est facile de partir quand tout va bien ou à peu près, comment le faire lorsqu'on a perdu l'habitude d'agir par soi-même ? lorsqu'il faut se mettre à genoux pour obtenir ? lorsqu'on marche hébétée, le sang chargé de Librium ou de Méprobamate ? lorsqu'on ne veut plus vivre ? lorsqu'on a les cheveux tordus en une corde qu'un homme tient dans son poing à Vienne ? lorsqu'on est ravagé de pourquoi ? pourquoi a-t-il besoin de me faire peur ? pourquoi veut-il me détruire ? pourquoi pourquoi tant de détestation ?
Franza est prisonnière d'un piège où elle s'est laissé prendre. Malade de crainte et désarmée, elle pense maintenant que son mari l'assassine. La nuit elle rêve qu'elle est dans une chambre et qu'il y fait entrer le gaz. Et encore une fois elle s'interroge :

pourquoi cette cruauté dont les animaux seraient incapables? pourquoi? pourquoi les hommes ne valent-ils pas mieux qu'eux?
On entrave l'autre, on le paralyse, on lui extorque sa puissance, puis ses pensées, ses sentiments, enfin on lui fait perdre son instinct de conservation et on lui file un coup de pied lorsqu'il est achevé. Aucune bête ne fait cela.
Franza rêve, et ses rêves l'instruisent sur le présent qu'elle vit. Dans l'un d'eux, elle voit un cimetière de filles, et soudain sa propre tombe. Son père n'est pas là, mais dans le rêve elle sait qu'elle est morte par sa faute. Le père et l'époux se confondent alors en une seule personne : ils ont tous deux des verrues sur le visage, ils sont ses *meurtriers.*
Ce père, Ingeborg Bachmann l'avait déjà évoqué dans *Malina* (écrit précédemment), ce père qui dans ses rêves la tuait de mille façons, et à qui elle criait *No! No! Non! Non! Niet! Niet! No! Ném! Ném! Nein! Car même dans notre langue, je ne peux plus dire que non, je ne trouve pas d'autre mot dans quelque langue que ce soit.* Il resurgit ici et se confond avec celui qu'elle appelle le Fossile, celui qui a pris ses biens, qui a pris son rire, qui a pris sa disposition à faire plaisir, sa compassion, son animalité, son rayonnement, qui en a écrasé toute manifestation jusqu'à ce que rien ne se manifestât plus. Jusqu'à ce qu'elle ne fût plus rien.
Finalement, Franza meurt en se frappant la tête contre la pierre d'une pyramide à Gizeh et en disant d'une voix forte : Non Non. Elle meurt en disant non à la soumission, non à la mort et à son scandale. Peut-être n'y a-t-il pas d'autre façon de

mourir. Je crois que, pour ma part, je ne mourrai pas autrement. Franza se frappe la tête en disant Non Non. De sorte qu'elle parachève la destruction entreprise par un autre, tout en la refusant. De sorte que son geste est révolte et, simultanément, échec de la révolte.

Vision affreusement pessimiste, vision désespérée, portée par une prose heurtée, haletante, sans larmes, une prose sans répit, sans ces pauses d'ironie où le cœur se desserre (le cœur ici est, de bout en bout, fermé comme le poing), une prose qui rend le son brutal des choses qu'on détruit ou le choc de galets qui se cognent, avec, en arrière-fond, comme un bruit étouffé de sanglots.

J'en ressors l'esprit malmené, bousculé, comme ces linges qu'on essore – la lecture a de ces violences. Car je ne peux esquiver le parallèle qui se forme en moi – la lecture a de ces retours –, le parallèle entre le meurtre de Franza (nom qu'Ingeborg Bachmann donne à cette domination légale et consacrée d'un être sur un autre sous le couvert du mariage) et le climat où je grandis entre deux parents désassortis dont la sourde hostilité et le désir de se faire mal étaient tels que, bien que le mobile de leur aversion m'échappât, je conçus une méfiance définitive devant tous les rapports conjugaux quels qu'ils fussent et l'habitude de m'évader en moi-même pour fuir leurs dissensions, ce dont aujourd'hui je leur sais gré.

Ingeborg Bachmann se pencha sur cette dimension banale et effrayante du mariage, comme aucun homme, je crois, n'eût pu le faire, comme le fit plus tard Elfriede Jelinek qui l'admirait, Ingeborg Bachmann dont Thomas Bernhard avait dit : Elle avait, comme moi, trouvé très tôt déjà l'entrée de l'enfer, et elle était entrée dans cet enfer au risque de s'y perdre prématurément.

Ingeborg Bachmann s'y perdit prématurément, elle qui avait écrit dans une sorte de prémonition, reprenant un vers de Celan : *Mes cheveux ne blanchiront pas.*
Un soir, écrasée de somnifères, elle n'éteignit pas sa cigarette avant de s'endormir.
Après plusieurs jours d'agonie, elle mourut des suites de ses brûlures, le 17 octobre 1973, dans une clinique romaine.
Mais son nom demeure et notre fidélité à lui, son nom si beau où toute son œuvre, depuis, s'est recueillie.

Table

DU MÊME AUTEUR

La Déclaration
Julliard, 1990
Verticales, 1997
et « Points », n° 598

La Vie commune
Julliard, 1991
Verticales, 1999
et « Folio », 2007

La Médaille
Seuil, 1993
et « Points », n° 1148

La Puissance des mouches
Seuil, 1995
et « Points », n° 316

La Compagnie des spectres
Seuil, 1997
et « Points », n° 561

Quelques conseils utiles aux élèves huissiers
Verticales, 1997

La Conférence de Cintegabelle
Seuil/Verticales, 1999
et « Points », n° 726

Les Belles Âmes
Seuil, 2000
Corps 16, 2001
et « Points », n° 900

Le Vif du vivant
dessin de Pablo Picasso
Cercle d'art, 2001

Et que les vers mangent le bœuf mort
Verticales, 2002

Contre
Verticales, « Minimales », 2002

Passage à l'ennemie
Seuil, 2003
et « Points », n° 1252

La Méthode Mila
Seuil, 2005
et « Points », n° 1513

Dis pas ça
Verticales-Phase deux, 2006

Portrait de l'écrivain en animal domestique
Seuil, 2007
et « Points », n° 2121

Petit traité d'éducation lubrique
Cadex, 2008

BW
Seuil, 2009

Hymne
Seuil, 2011

Cet ouvrage a été imprimé en France
par CPI Bussière
à Saint-Amand-Montrond (Cher)
en avril 2013

N° d'édition : 2909. – N° d'impression : 2001212.
Dépôt légal : avril 2013.